El detalle

El detalle
Tres novelas breves

JOSÉ CARLOS SOMOZA

MONDADORI

Barcelona, 2005

© 2005, José Carlos Somoza
© 2005, de la presente edición para todo el mundo:
  Grupo Editorial Random House Mondadori, S. L.
  Travessera de Gràcia, 47-49. 08021 Barcelona
Primera edición: febrero de 2005
ISBN: 84-397-1067-4
Depósito legal: B. 2.390-2005
Fotocomposición: Fotocomp/4, S. A.
Impreso en Limpergraf
Mogoda, 29. Barberà del Vallès (Barcelona)

GM 1 0 6 7 4

ÍNDICE

NOTA DEL AUTOR

En este libro ven la luz, reunidas por primera vez, mis tres únicas novelas breves hasta la fecha.* No se relacionan solo por su extensión: también las une la *intención*, porque cada una de ellas cuenta la historia de una obsesión.

Aunque podría afirmarse que toda historia es siempre la historia de una obsesión (la del narrador), la que sufren los protagonistas de estos relatos es particular en más de un aspecto, ya que constituye el fondo y la forma, el origen y destino último de la narración. Existen otras similitudes que se me antojan curiosas: dos de los protagonistas son médicos; los tres, probablemente, están locos.

Planos (1994), la obra que, a su modo, inició mi carrera literaria, se desarrolla en el pueblo de Roquedal, escenario de novelas posteriores como *Cartas de un asesino insignificante* o *La caja de marfil*. En *Planos*, la obsesión de Marcelino Roimar, un joven médico que viaja al pueblo para realizar una sustitución de verano, se transforma en una fantasía terrorífica: la de vislumbrar otros mundos dentro de éste y conocer a la extraña criatura que los habita.

El detalle, hasta ahora inédita en castellano, ya había sido publicada en francés, en una primera versión, en 2003. Su narra-

---

* No cuento *Cartas de un asesino insignificante*, que, por haber sido publicada en un volumen para ella sola, quizá se hace merecedora del calificativo de «menos breve».

9

dor es el «loco oficial» de Roquedal, Baltasar Párraga, que hace de improvisado detective en una curiosa investigación. Pese a su fama de enajenado, la obsesión de don Baltasar, paradójicamente, resulta mucho más racional que la de Roimar: los pequeños detalles situados en los límites de la percepción y la manera en que pueden convertirse, para un observador atento, en el origen de claves secretas. Párraga cree que siempre hay un asesino oculto detrás de cada tragedia, y tiendo a darle la razón.

La boca también fue publicada en francés en 2003, e igualmente había permanecido inédita en castellano hasta ahora. Es el único de los tres relatos que no se desarrolla en Roquedal y su estructura es tan extraña como la obsesión de su protagonista, porque consta de una especie de frase monstruosa, sin apenas pausas para el aliento. El narrador es un odontólogo que atiende una consulta próspera, vive una vida familiar gris y tiene una relación desgastada con una amante, pero su monocroma existencia cambia de improviso cuando hace un descubrimiento singular: por dentro alberga huesos. La evidencia de que, bajo la piel, sobrellevamos un esqueleto puede convertirse en una perogrullada temible.

Quisiera agradecer a la editorial francesa Mille et Une Nuits y a mi traductora en ese país, Marianne Millon, por el entusiasmo que me transmitieron en la «resurrección» de estas pequeñas obras; también a las maravillosas superagentes de la agencia literaria Carmen Balcells, porque sin ellas estas obritas nunca hubiesen visto la luz en ningún idioma; y a mi editor en España de Random House Mondadori, Claudio López, que me sugirió algunas correcciones muy necesarias para la versión definitiva de *El detalle*.

Tres relatos, tres locuras o tres formas de narrar. Me produce una explicable satisfacción ver publicadas, en un solo volumen, estas obsesiones primerizas.

JOSÉ CARLOS SOMOZA
Madrid, julio de 2004

PLANOS

A José, María del Mar, Sergio, Marina
o comoquiera que se llame por fin

NOTA DEL EDITOR: Éstos son los papeles recopilados que don Marcelino Roimar Ruiz escribió durante su estancia en Roquedal. Su publicación no tiene como fin explicar la tragedia que sucedió, sino intentar arrojar alguna luz sobre su protagonista.

1

He llegado a Roquedal por la tarde, con el sol aún muy fuerte, y debo mencionar dos curiosos detalles que acaban de sucederme. El pueblo se adivina, pequeño y blanco, justo en un cambio de rasante de la comarcal. Allí, en esa momentánea cima, se tiene la impresión de que puedes coger todas sus casitas con la mano y desprender incluso gran parte del mar azul brillante que tiene detrás. Pero conforme te acercas, a un costado (el izquierdo de acuerdo a la situación del visitante) los campos de cultivo se ven interrumpidos de repente por un escuálido muro gris que apenas dura el tiempo que te permite verlo la velocidad del coche en la pendiente, y en el que un oxidado cartel deja leer «Cementerio municipal» sobre una entrada en arco con las puertas abiertas. Pequeños cipreses se yerguen detrás. Cuando cambiaba de marcha al final de la pendiente observé las grandes letras blancas. Eran cuatro torpes pero opulentas mayúsculas escritas a brochazos de una pintura tan radiante que me las imaginé fosforesciendo en plena noche. Resultaba imposible no leerlas: ETER.

Vengo de gran ciudad y estoy acostumbrado a los grafitos callejeros, pero ver ese enorme esfuerzo alfabético en el muro del cementerio me ha dejado intrigado con esa intriga inútil y molesta que al menos sirve para tener algo de lo que hablar o escribir en estas notas apresuradas, ahora, de noche, en mi habitación. No es la palabra lo que me confunde sino su hallazgo. ¿Qué ha querido decir el anónimo pintor con ese escándalo de letras blancas en el muro del cementerio? Pensé en unas siglas, en alguna asociación, en un chiste secreto, en que quisiera escribir otra cosa pero se equivocara o fuera interrumpido. Es curioso cuánto me molesta lo ambiguo, la imagen que dice pero se calla. Vengo de ciudad, claro, y estoy acostumbrado a buscar mensajes en los anuncios. Pero el tiempo de mi coche, al que hacía avanzar con moderada lentitud, no es mi propio tiempo. Me permití un vistazo al camposanto del pueblo, un ligero devaneo con aquellas letras fulgurantes (ETER) que alguien había pintado con un propósito desconocido y pronto lo olvidé, sometido al resto de mis impresiones (ahora lo recuerdo, no obstante). Mi reloj (el último regalo de Mariela), con la esfera desparramada como un huevo frito (imita la configuración de un «reloj blando» de Dalí) marcaba las siete y no sé cuántos y yo entraba con mi coche (su interior caliente y el volante inflamando mis manos) en la calle principal. Y entonces ocurrió el segundo detalle curioso.

Diré antes que el pueblo me produjo sensación de soledad, pero de eso, creo, tiene la culpa el verano. El verano en un pueblo siempre es solitario, no hay diferencia entre éste o cualquier otro de la costa o el interior. Los días crudos de invierno obligan a una cierta soledad activa, pero en verano la actividad se evapora por las tardes, y la soledad se hace lánguida y te sientes impelido a tenderte y languidecer con ella entre el zumbido de las moscas y la repetición de las chicharras. El mediodía señala esa hora de sueño y de sol en que todo desaparece y el pueblo queda vacío y blanco como éste. Y siempre hay una calle larga que traiciona tu mirada con una revuelta allí, al final, para no dejarte ver el pueblo. Recuerdo que he pensado en un domingo: tengo la idea cierta de que los domingos son días enormemente solitarios. En ellos siempre hay espacio para un verano perenne y un silencio largo y aburrido. En eso pensé: entré en Roquedal aminorando la marcha, el motor de mi coche sonando casi en tono de pregunta, muy bajito, cubierto por el silencio, las llantas friendo piedrecitas debajo en la calle mal asfaltada, las sombras de las casas siempre ahí, rectangulares, y al fondo, entre techos y pinos, el reborde tieso del mar, y pensé que era todo un domingo en pleno martes.

Y por si fuera poco, unos chavales jugaban en la calle, entre la sombra y el sol, regateando con una pelota blanquinegra que lanzaban al aire con gritos suaves. Parecían un recuerdo infantil. Me detuve junto a ellos.

—¿Dónde está la casa de don Roberto, el médico? —dije.

Me miraron y se miraron entre sí, arrugando las caritas como si las exprimieran. Estaban sucios de polvo y tierra pero parecían limpios debajo, como si se hubieran disfrazado con aquella suciedad para recibirme. Hablaron entre ellos y uno, el más alto, flaco, de pelo revuelto y castaño, vestido de futbolista con un traje pequeño y antiguo, el escudo tan borroso que no pude saber si el equipo era real o ficticio, me dijo:

—¿Don Roberto?

—Sí. El médico.

—No sé.

—¿Este pueblo no es Roquedal? —pregunté sonriendo.

Y el niño me miró seriamente, con una seriedad y un asombro que lo eximieron de burlas, y respondió que no.

—Estío —me dijo—. Este pueblo es Estío.

Y algunos compañeros corearon, canónicamente, pugnando por ser los primeros en brindarle a un adulto la información:

—Estío.

—Estío.

—Estío.

Tal vez fue la inevitable confianza en otra respuesta lo que me impidió aclarar del todo la confusión. Los niños no tienen paciencia con los adultos aturdidos: con ellos hay que ser directos y concisos, o se te desmenuzan como la arcilla recién modelada. No sé qué les dije, ahora no recuerdo. Balbucí algunas preguntas y se fueron apartando de mí mientras la pelota volvía al aire de nuevo y ellos respondían:

—No. Este pueblo es Estío. Estío.

De resultas de aquel juego de confusiones no sé qué hubiera ocurrido. Por suerte, enfilaba hacia mí por la zona de sombras un hombre grueso, frutal, con mono de trabajo azul plagado de manchas negras, y tirantes bajo los que sobresalía una débil camisa roja a cuadros. Llevaba gafas y boina, por ese orden, porque las primeras eran tan gruesas que parecían una máscara y la última se aplastaba, plana y pequeña, como el cuero cabelludo sobre su enorme cabeza. Bajo el brazo traía un neumático. Después he sabido que se llama Joaquín, y arregla toda clase de máquinas por poco dinero. Sus respuestas, con una voz desbaratada, casi de vieja, no me traicionaron:

—¿Don Roberto? Tire por esta calle hasta el final. En la esquina hay una casa azul. Ésa es.

Me ilusiona esta buena gente. Con cuánta sencillez dividen el tablero de su pueblo en casas rojas, azules, malvas, de piedra o enjalbegadas (y lo de «la casa azul», según he sabido ahora mismo, no es fortuito: Rosa, la cuidadora, me informa de que por un tiempo existió la idea en Roquedal de pintar de azul todas las casas cercanas al mar. Imagino que pronto se les ocurriría pintar de verde las que dan a la montaña). El caso es que Joaquín me despejó la pequeña broma con sus gestos (tiene los brazos cortos y casi cuadrados, de forma que los dedos parecen brotarle justo de las muñecas), aunque los chavales no se reían: fuera cual fuese el resultado que esperaban de su engaño, habían perdido todo interés por mí y seguían jugando con la pelota, o la pelota con ellos. Los dejé atrás.

El primer repaso de mi pueblecito (aparte de estas confusiones) ha sido alentador: casas limpias y calles estrechas, fabricadas para pasar por ellas andando, señoras muy mayores viviendo en los umbrales de las puertas o en los marcos de las ventanas, una tienda de ultramarinos tan oscura y ultramar como su nombre, macetas de flores intensas, adolescentes formando piñas saliendo de las casas hacia los bares y, naturalmente, olor a mar fuerte traído por una brisa que nunca cesa.

Y aquí estoy, por fin, narrando mi primera andanza. La casa de don Roberto, de dos plantas, es, en efecto, azul. Está en la esquina final de la calle que divide al pueblo. Tiene un patio interior cuadrado donde respiran las plantas y hay humedad de invernadero. Las habitaciones de don Roberto dan al solar de al lado, y más allá y sin esfuerzo, a la mancha azul morada del mar. Las otras las ocupa Rosa, una mujer fuerte y mayor con una cara y una figura con rastros de su antiguo atractivo. Su sonrisa es simpática: al sonreír, todas las arrugas forman líneas como los radios de una rueda y confluyen alrededor de sus labios, aureolando el gesto. Sus ojillos vivaces se prenden a las cosas como imanes. Fue la que me recibió:

—Don Roberto ha dejado sus cosas en el trastero, para no molestarle. Me dijo que se sintiera usted como en su propia casa.

—Muchas gracias.

—Déjeme las maletas.

—Ya las llevo yo, no se preocupe.

—¡Va usted muy cargado! ¡Déjeme una maleta, hombre! —Lo hago, la que menos pesa (apenas me da tiempo para elegir) y sube con ella las escaleras de piedra como una exhalación. Me pregunté al verla si su delgadez y su energía no serían indicios de alteración tiroidea, ¡pero sin duda son indicios de la vida en Roquedal! Y mientras, iba hablando—: Suba usted por aquí. Cuidado con este escalón. Aquí está el dormitorio. Es pequeño pero limpio, ¿sabe usted? La puerta se atranca un poco. El cuarto de baño. Está todo bien, ¿sabe? Don Roberto lo dice.

Y sin don Roberto lo dice, don Marcelo debe decirlo, claro.

La verdad es que no me pareció ni una cosa ni otra. Me enseñó toda la casa antes que las imágenes que recibía pudiera traducirlas en impresiones. Sospecho que la ciudad te hace sentir sin pasiones, con la inteligencia: yo tengo que dedicarme tiempo para poder saber si una cosa me gusta o no. Imagino que hemos perdido la capacidad de amar u odiar con espontaneidad, a pleno pulmón, como los niños. Dije a todo que:

—Sí. Muy bien. Qué bonito.

Y aún ahora me pregunto si me gusta realmente o no. Por fin, acabada su labor de guía, se vuelve hacia mí sin pausas:

—¿Y usted es…?

—Marcelino Roimar. Pero me gusta que me llamen Marcelo —me apresuré.

—Don Marcelo —dijo con voluntad de recordarlo.

—Don Marcelo —sonreí.

—Vendrá usted muy cansado. ¿Le preparo algo antes de la cena?

—No, muchas gracias.

—¿A qué hora le apetece cenar?

Comprendí ese andar de puntillas con el que ambos tratábamos de no romper nuestro frágil primer encuentro. Según creo, es importante —y no difícil— llevarse bien con Rosa. Tuve que decirle una hora de cena para complacerla y dije las once. Después le sonsaqué algunos detalles de mi trabajo: dónde está la consulta, cómo se llaman la ATS y la matrona (dos enormes instituciones de Roquedal) y qué se supone que debía yo hacer respecto a las costumbres previas de don Roberto y qué no. Adiviné que se hallaba cómoda con los sustitutos de verano y había memorizado una lista de consejos de abuelita que me estuvo dictando de espaldas, en la oscura cocina de la planta baja, mientras me hacía una tortilla. La iluminaba una bombilla solitaria ahorcada de un cable blanco y largo y plegado como una rama. Apenas distinguía yo la redondez de su cabecita entrecana mientras me hablaba: la cifosis la ocultaba un poco y ella hacía el resto encorvándose sobre su tarea. Viste de negro hasta los pies, pero en ella no parece luto. Pensé que sería más triste verla vestida de colores.

—¿Y le gusta el pueblo? —salía la voz de su espalda—. Bueno, no lo ha visto todavía, claro.

Y yo, entre medias de su infatigable ritmo, lograba participar con alguna frase:

—Sí. Lo que he visto me ha gustado.

Porque aquí todo tiene que gustar así, de inmediato, solo de verlo una vez, y yo no tengo enseñados a mis ojos. Es más: aún no conozco en realidad el pueblo (aunque ella cree que lo recorrí antes de venir a la casa). Tras su bienvenida me había dado una ducha repentina y escasa (el agua sale compacta y lineal, sin aspersión, de una especie de grifo alto. La probé y era salada. Me reí imaginando que el mar evacuaba en mi cuarto de baño) y me puse algo limpio para cenar. Mi reloj blando me sorprendió diciéndome que eran ya las once menos cuarto y para cuando bajé, Rosa se hallaba bregando con las tortillas y el patio olía, en la noche, a huevo frito y a nardos.

Cuando me sirvió la cena, nos quedamos un instante en silencio, como si toda la charla hubiera sido una excusa para cocinar. Entonces se me ocurrió otro tema.

—¿Roquedal se llama de otra manera?

Hizo un gesto con una mano mientras me sonreía, dándome a entender que no había oído. Opté por contarle mi confusión con los niños del pueblo en voz un poco alta. Me escuchó asintiendo y sonriendo, como animándome innecesariamente a seguir, pero cuando terminé, sus ojos carbonizados se desviaron con rapidez de los míos y se encogió de hombros.

—¿Estío? —logró acertar con el nombre—. En mi vida lo he oído. Y eso que llevo aquí desde que nací. —Esto último lo dijo como disculpándose, como si se pudiera vivir en Roquedal desde mucho antes de nacer, como si se sintiera inferior a sus propios recuerdos.

En su vida lo oyó. Sospecho que tampoco sabe el significado de ETER en el muro del cementerio. Éstas y otras cosas debo dejarlas escapar con los bostezos. Mañana comienzo y hay que madrugar.

Una ventana en mi habitación me refleja mientras escribo.

2

Un día completo y extraño. Escribo esto a las dos y media de la madrugada, sentado, como ayer –ese lejano ayer–, en el escritorio con olor a madera vieja de don Roberto, a la luz de una lámpara pequeña con la pantalla improvisada de cartón (No la encienda mucho rato, que el cartón se quema, me dice la pobre Rosa) y entretengo mis ojos siguiendo el curso de las vetas de madera en la mesa mientras trato de recordar todo lo ocurrido (decir «todo» es imposible, o al menos tan difícil como rastrear hasta el origen cada una de las grietas que ahora contemplo: se pierden, se confunden, se mezclan). Al menos, intentaré reflejar la cara extraña del día, que no deja de sorprenderme, y me juzgaré a mí mismo mientras lo hago (el cristal de la ventana entrecerrada me refleja cuando me siento a escribir: todo un símbolo).

Mi trabajo, muy bien. Don Roberto no mintió cuando me dijo por teléfono que no había mucho que hacer. La consulta está instalada en una casa que desentona violentamente con la arquitectura de Roquedal, cuadrada, de techo plano y ventanas metálicas, cuajada de calor. Por dentro, las luces de los fluorescentes la vuelven fríamente calurosa, y el ambiente no mejora cuando descubres que todo está lleno de aristas (Roquedal es romo y suave, pero allí, en la consulta, todo pincha –no solo la jeringa– y se encrespa en violentos ángulos cerrados: es como si quisiera decirse a sí mismo y a los habitantes que es un lugar científico, ajeno al pueblo): mi mesa es de metal blanco, como la silla, y los azulejos y baldosas, en azul claro, no dejan resquicios para distraer el ojo. Hay una gran ventana, pero el paisaje de casitas pintorescas que se adivina tras ella contradice tan nostálgicamente el interior que uno termina por pensar que los barrotes que la cruzan están ahí para impedir salir y no al revés. Sobre la mesa, los recios rectángulos de las recetas y volantes, y junto a ellos, Marta, la ATS, que coge las vacaciones el mes próximo.

—Para que no haya dos nuevos en la consulta al mismo tiempo —me explica—. Así don Roberto o yo, el que esté en ese momento, ayudamos al sustituto.

Le agradecí el detalle. A Marta parece que hay que agradecerle todo desde que la ves: es tan acogedora, tan enorme, de pecho y semblante tan maternales que, sin saber por qué, te pones a agradecerle cualquier cosa, como si de ella hubiera dependido en parte que vinieras al mundo. Tiene modos de ciudad (se tiñe el pelo de un castaño rojizo fuerte y se pinta cuidadosamente), pero es muy respetada en Roquedal. Nos hemos entendido a las dos palabras (sospecho malignamente que le agrado más que el propio don Roberto) y hablamos de sus vacaciones, en que piensa irse a Segovia (tiene familia allí) y después a Barcelona y París.

—Huyo del sur, huyo del sur —me repite.

—Hace calor —la ayudo—. Aquí se ahoga uno a pesar de la playa.

Ella entrecerraba sus ojos rasgados (y pintados de manera nocturna en pleno día) y hacía una mueca de «sí, pero no es eso».

—Sí, pero no es eso. En estos pueblos uno termina por… No sé si me entiendes —nos tuteábamos desde el principio—. Este pueblo es bonito. Roquedal es bonito. Precioso, desde luego. —Aquí paró de adjetivar, contenta—. Pero al cabo del tiempo la vida se te hace igual y terminas… —Hizo un gesto con las manos en remolino y sus pulseras sonaron acordes—.

La gente piensa que la gran ciudad enloquece, pero nadie habla de estos lugarcillos.

—No se te ve muy loca.

Rió y sus pechos temblaron, enormes, como si le sobraran y fueran a caérsele en la mesa.

—¡Pues si me conocieras!

Es obesa y simpática, ambas cualidades exageradas y adornadas en exceso para su edad, pero sus manos son hermosas y lo sabe, de dedos laxos que adoptan posiciones desafiantes en un más difícil todavía a la hora de gesticular, coger las recetas y rellenarlas o simplemente posar tranquilos sobre la mesa. Tiene unos meñiques precisos y lindos: dan ganas de cortarle alguno (pobrecita), escribir encima «Recuerdo de Roquedal» y llevártelo a casa. Cuando tenga más confianza con ella le diré esto.

La consulta, ya digo, buena. No olvidé en ningún momento que yo era un don Roberto postizo y temporal para ellos, y me mantuve en mi papel. A las dos de la tarde me quité la bata, apagué el ventilador (también picudo, también filoso) contra el que luchábamos para refrescarnos sin que los papeles volaran y emprendí mi misión del mediodía —que ya Marta me había anunciado—: una comida de bienvenida en la terraza de un bar con los poderes indispensables: el farmacéutico, el cura y, posiblemente, el alcalde. Es necesario conocerles, pasar los sagrados ritos, comprender los tabúes y las recompensas. Me preparo para la iniciación y Marta (que se ha desvestido en un santiamén y ahora se me aparecía disfrazada de solterona exótica —un traje elegante y blanco con flores dispersas en malva y verde—) me acompaña.

En el pueblo reina a esa hora un calor sin presagios, tan aburrido como un papel en blanco. Me cuelgo la chaqueta al hombro (¿por qué la llevé?, ¿me sentía más seguro con ella?) y termino entrecerrando los ojos como Marta e incluso envidio sus pestañas largas y parabólicas que tamizan los resplandores. En una sombra, niños pequeños cantan, sumidos en un juego de tiza y círculos cuyo fin parece ser ése: cantar sobre ellos.

¿Qué son? ¿Dónde están?
¿Cómo encontrarlos?

No supe a qué se referían, aunque entonces hubo un segundo en que me pareció importantísimo saberlo, pero se me desvanecieron solos mientras nos alejábamos y ni siquiera mirar hacia atrás me reveló ningún prodigioso secreto: eran tres niñas con similares camisones a cuadros, trenzas y zapatillas sin medias. Una saltaba cantando y las otras la acompañaban con un contrapunto llamativo. Me sentí ridículo mirándolas.

El bar ostentaba un nombre propio, pero no lo recuerdo: Paco o Pedro o Luis. Había una terraza, en efecto, con mesas y sillas metálicas, y más allá, tras la techumbre de cañas y un declive mustio, se hallaba un grupo de árboles, la carretera que bordea la playa y ésta, allí tirada, con el mar azul llenándolo todo a lo lejos. A la sombra de aquellas cañas había fresco.

El farmacéutico se llama Juan y es un hombre calvo y delgado, con bigotito negro, gafas doraditas y olor a agua de colonia. Me produce la impresión de que se tiñe con petróleo los cuatro pelos húmedos que le cruzan el cogote. Estaba ya allí, junto a su oronda María (una María oronda es, al parecer, imprescindible, y le ha tocado a él), su mujer, repeinada, unánimemente gruesa, con el vestido de un azul interrumpido por lunares blancos y gordos. Ella es buena persona. Él me parece más estudiado. Comían pescado frito cuando llegamos, y él se limpió la mano ostensiblemente antes de tendérmela, como deseoso de mostrar el espectáculo de su educación. Ella, más natural, me plantó un beso terrorífico.

—Pruebe usted esto, don Marcelo —me dijo él—, y compare con el pescado que come en la capital.

Naturalmente que tuve que pedirle, casi exigirle, que me tuteara. Aprovechó la ocasión para esgrimir la prerrogativa de su edad.

—Podría ser tu padre, así que te voy a tutear, sí, y tú a mí, pues igual —dijo, y la oronda María se rió. Sospeché que tiene cierto éxito con sus gracias, porque Marta también liberó una risita recatada.

A nuestro alrededor había brisa de mar y gentes que iban y venían saludándose con gestos y sonidos. Todo muy lento, como si sobrara el tiempo. Un hablar monosilábico y difícil que se desarrollaba a mi espalda:

—Eh.

—Qué.

—Ya.

—Vale.

Y de vez en cuando, Juan, el farmacéutico, estiraba su delgadez para saludar con la mano alzada, pero reprimía el monosílabo. Tiene dedos de pianista y un anillo en cada anular. Parece tentarle la capital, y él coquetea con esa tentación, pero permanece fiel a su rinconcito: en su charla siempre critica y alaba la ciudad a partes iguales. Te deja en la duda sobre lo que realmente piensa de ella. Habla igual de su mujer, la oronda María: mezcla sus defectos y virtudes sin pausas (o con la pausa de un chipirón masticado) y, en general, de todo, como si temiera ofender los gustos o como si él mismo no anduviera seguro de los suyos. Es una perenne contradicción: ama el mar, pero prefiere la montaña; don Roberto le agrada por sus años y su experiencia, pero le gustan más los médicos jóvenes como yo.

De aquella conversación dual, casi estereofónica, me salvó la llegada de don Fernando, el cura. Sonaron campanas lejanas y apareció él de improviso, tras la esquina, tan coincidente que me pregunté si sería deliberado. Vestía la sotana (después he sabido que es su traje de etiqueta. Se ha hecho a la comodidad y prefiere camisa holgada y pantalones negros en verano) y venía como de haber realizado un gran esfuerzo físico (dos veces, contando esta primera, me lo he topado hoy, y en ambas he tenido la misma impresión): sus hombros anchos, algo encorvado, sudoroso, limpiándose las manos y jadeando. Su pelo blanco está peinado sin raya hacia atrás. Es simpático y proverbial, y ama todo lo práctico. A su alrededor, las cosas se estropean solo para que él las componga. En un mundo perfecto y prístino, personas como él se morirían pronto. Nada más sentarse percibió que la mesa estaba coja y (siempre jadeando) se levantó y buscó un pedazo de madera para enderezarla. Volvió a sentarse y volvió a inspeccionar su alrededor en la esperanza de hallar otra cosa torcida, mal puesta, rota o necesitada de su pericia. Naturalmente, todo estaba aceptable salvo yo, y sobre mí recayó el utensilio de su mirada.

—¿Se ha traído usted la chaqueta? ¿Tiene frío?

—Me equivoqué —dije—. Debí dejarla en casa.

—Se le va a caer. —Me la señaló con un dedo moreno y breve: yo la había puesto sobre el brazo de la silla y rozaba con el suelo. La coloqué mejor pero no quedó satisfecho—. Traiga, traiga.

Me la colgó del respaldo con tanta sabiduría que ni queriendo hubiera podido tirarla. Volvió a sentarse, ya satisfecho.

—En estos meses, en Roquedal, no hace frío, hombre —me dijo.

—Por las noches refresca, pero hace calor tanto de día como de noche, igual —refirió Juan con su característica dualidad.

Antes de la llegada de don Fernando me había defendido con un breve bosquejo de mi biografía, pero con él las preguntas arreciaron. Cuando mencioné que era divorciado hubo un corto silencio que se hizo raro e incómodo por lo breve, al contrario de lo que es usual. En Roquedal los silencios sanos son largos y vacíos como el cielo. Éste apenas duró. Dije:

—Me separé de mi mujer hace dos años.

Y tras una brevísima pausa en la que ni siquiera se masticó pescado, Marta (bien fuera su profesión, bien su temple maternal) pareció querer salvarme:

—¿Y ahora está soltero y sin compromiso?

Y agradecí su aparente indiscreción, porque las risas que siguieron (ella también es soltera y sin compromiso) me permitieron relajarme:

—Hasta ahora estoy solo —dije.

—Dios proveerá —aseguró don Fernando. Pero como miró hacia la entrada oscura del bar y llamó con un gesto al chico que atendía las mesas, no supe a qué se refería: era como si Dios estuviera allí, tras la barra, y proveyera bandejas de pescado frito.

Cuando pasó la ronda de curiosidades me estremecí con el recóndito temor de que una nueva aparición (el alcalde, por ejemplo) me obligara a repetir todos los datos que ya había ofrecido. En parte se cumplió porque lenta, jerárquicamente, vino Carmen, la matrona oficial, muy elegante, con una permanente vertical que oscilaba con la brisa, y me dio un fuerte apretón de manos y un fuerte beso (será gracioso, pero juro que olía a niño recién nacido). Una joven a su lado permanecía seria y sumisa.

—Y ésta es Rocío, mi hija.

No me detuve al pronto en Rocío, como si la hubiera hallado oculta por algo, quizá por la languidez del pueblo, pero cuando se sentaron frente a mí, obligándonos a remover las sillas con un jaleo metálico de chirridos, pareció revelárseme y me intrigué.

Ya he dicho que padezco (entre otras cosas) lo que creo que se trata de un defecto de ciudad: tengo que pensar y pensar antes de saber si algo me gusta o no. A Rocío la pensé un instante: tiene la cara ovalada y fuerte, el cabello rubio castaño muy peinado y los ojos grandes y claramente claros, de una claridad azul que me sorprendió. Los abría (los abre) mucho, y ellos miran simétricos sin cesar, con un parpadeo que no los enturbia, fugaz e invisible, como si en vez de párpados tuviera solo esas membranas nictitantes de los pájaros, que se cierran sobre el ojo sin cubrirlo. Era… ¿mayor?, ¿adolescente? Su edad estaba borrada. Llevaba un vestido a cuadros escoceses que finalizaba un poco por encima de sus rodillas, y ella, cruzándolas, lo hacía retroceder más. Piernas blancas, brazos blancos tapizados de vello débil. Me gustó: sobre todo, esos ojos. La brisa le encaramó unas hebras de pelo en la nariz y me estremecí al comprobar que ni siquiera así daba risa: lo ridículo no la tocaba, ni el vestido a cuadros ni el pelo en la cara. Ella, detrás, miraba seria.

Y como para acompañarla, una nube cubrió el sol y las sombras se extendieron.

—Hay algo en el ambiente —dijo don Fernando, pero su comentario, extraño, no llamó (aún más extraño) la atención de nadie.

Dejé de mirar a Rocío (ella no me miraba) y tuve que recuperar a la fuerza el hilo de la conversación, que ahora dominaba Carmen. Es provinciana y bondadosa, pero tiene algo salvaje, como si a fuerza de atender partos hubiera llegado a pensar que todas las cosas importantes de la vida se obtienen así: con la violencia controlada, con el poder de la labor instantánea, con la decisión rápida de los brazos. Hablaba mientras pelaba boquerones, sin mancharse los labios repintados. Es sumamente graciosa, con ese acento del sur, rápido y dulce, que siempre deja un eco de risas tras él. Pero debajo hay perspicacia. Enseguida le pareció extraño que un médico aún no maduro pero tampoco demasiado joven como yo andara sustituyendo a los colegas en los pueblos mientras buscaba trabajo fijo.

—¿Y no ha podido colocarse aún en la capital? —decía.

—Prefiero trabajos esporádicos en lugares como éste.

—¿Y por qué no se viene a vivir a un pueblo?

—Porque no es fácil, ni siquiera en mi profesión.

En realidad, porque aún no quiero, pero esto no lo he dicho. Desde que Mariela se marchó, busco y no busco la soledad. En eso soy tan doble como Juan, el farmacéutico. Me parece desearla, pero solo eso: tenerla ahí delante, a mano, sin poseerla del todo. Tengo un miedo amoroso a quedarme solo: ese miedo del amante primerizo que desea y teme conseguir. Pero esto no lo he dicho. Menos aún cuando la conversación se desenfocó de mí dócilmente, llevada por Carmen, y apuntó a otros temas. Juan, entonces, me habló de don Baltasar.

—¿Por qué no te pasas a verle un día de éstos? —Alzaba el cuello entre dos líneas de palabras: Carmen y la oronda María hablaban sin parar, cruzadas con Marta y don Fernando, que hacían lo propio—. Está muy mal.

—¿Qué le ocurre?

—Está muy mal —repitió—. Tenemos miedo de que haga algo. Su familia era una de las más adineradas de la zona antes de la guerra civil, y él mismo se casó con la hija de unos terratenientes y vivió bien hasta hace diez o doce años, en que falleció su mujer. Desde entonces viene de mal en peor. No tuvieron hijos, por lo que se quedó solo en su casa de las afueras. Antes bajaba algo al pueblo pero ahora ni eso. Yo paso a veces por allí y me recibe como un amigo. A mí me quiere mucho. Me invita a café y charlamos de todo. Está como una chota, pero razona como tú o como yo.

Era la ambivalencia típica de su lenguaje, y asentí como si lo comprendiera todo. Se ajustó las gafas con una puntería sorprendente de su índice veloz y me alentó a visitarle juntos un día.

—Quizá podamos convencerle de que le vean en un hospital. A mí no me hace caso y don Roberto no quiere ni saber de él.

—Ése termina pegándose un tiro —afirmó don Fernando.

Fue como si decir «un tiro» hubiera sido una verdad, porque surgió un silencio asustado. Ya no hablamos de mucho más. El calor no aflojaba a pesar de las nubes que, a ratos, eclipsaban la luz dejándonos en medio de una charca de sombras. Yo miraba a Rocío y me abrumaba su misterio. Estaba respetada como una estampa, allí sentada, frente a mí, bajo las sombras trémulas, el pelo acariciado por la brisa alta, los ojos fijos en algo —que podía a veces ser alguien pero nunca los ojos de alguien—, abiertos y absortos, como si no fueran ojos: como si estuvieran allí, en su rostro, con un fin inverso al de mirar: el de ser mirados. Ojos que no veían, puestos allí para que yo los viera.

Habíamos pedido más cervezas, pero ya empezaba a gobernarnos la siesta. Hubo un lío de manos y gestos a la hora de pagar, pero se hizo cargo Juan, casi por obligación de precedencia y debido a la ausencia del otro Juan, el alcalde, que no había podido venir. Nos levantamos todos y en un momento se deshizo la reunión con esa prisa suave de la tranquilidad: todos se me ofrecieron de mil maneras frente a cualquier problema que pudiera tener en el pueblo, y cada uno fue abandonando el grupo y marchándose por su lado. Las últimas en desgajarse de mí (era paradójico la amabilidad y el abandono con que me dejaban) fueron Carmen y su hija: me dijeron un franco «hasta luego» y las vi subir una cuestecita empinada y polvorienta, madre e hija juntas, ésta con las manos en la espalda, la falda al vuelo, y perderse en la bajada como veleros en la redondez de la tierra.

Un sueño irreprimible, una pesadez de nube cargada, me hizo renunciar a mi primitiva idea de explorar el pueblo y decidí regresar a la casa azul y echarme a dormir.

Iba pensando en ello cuando oí a las niñas.

Seguían cantando su canción, jugando su juego, en alguna parte, en esa lejanía doméstica que tienen los lugares cercanos pero ocultos: una suave tonada que preguntaba algo, que algo quería, insípida, sin fuerza. En parte seguí aquel hilo de voces porque sabía que se hallaban cerca de casa y porque la curiosidad me lo dictaba.

Di la vuelta en una esquina y la brisa se apagó bruscamente. Me hallé a solas en una calle ondulante, quieto en el aire quieto, sobre las sombras completas de las casas. Una silla de mimbre yacía en la acera, frente a un portal, desprovista de significados. Avancé devanando el sonido de la canción en mis oídos, burlado por aquella soledad tranquila, y crucé un entramado de resquicios entre las casas, no verdaderas calles sino pasillos vacíos por los que mirar y ver pasar los gatos. Les presté una débil atención y percibí algo.

Escribo lo anterior y me propongo continuar, aun a sabiendas de que narraré un simple engaño de los sentidos. Pero he prometido contar, al menos, «todo» lo extraño, y si algo sobró en mi ambigua experiencia del mediodía fue precisamente su pura extrañeza, su absurdidad en este pueblecito de pescadores.

Fue como cuando caminas y algo, de repente, te penetra por las esquinas de los ojos. El cerebro, fugacísimo, emite una hipótesis arriesgada (no podemos existir sin inventar explicaciones) que después los ojos verifican o no. Pero si tu percepción difiere enormemente de lo que imaginaste, dudas en atribuirlo todo a tu error: si te pareció un árbol de reojo, quizá halles natural ver un poste de la luz, pero no un perro.

Y yo vi una figura.

Ahora escribo «figura» y dudo. Había ropa blanca secándose al fondo, en el balcón de una casa que asomaba por el resquicio, y su temblor frente a la brisa pudo confundirme aún más de lo que creo. Pero en ese mundo que habitan nuestros errores cotidianos yo vi una figura. Bailaba o se movía desordenadamente en mitad de la calle regada por el sol, frente a las casas. Me pareció posible, incluso probable, que lo hiciera al ritmo de la canción infantil que todavía escuchaba.

Fue un mirar y remirar y ya no ver sino sábanas tendidas donde antes (y, digo otra vez, un «antes» que casi fue un «ahora») bailaba la hipótesis de una figura. Pero justo en ese «antes» yo había creído percibir muchas cosas: que estaba desnuda por completo, que ostentaba la cabeza rapada, calva, bien formada y brillante como todo su cuerpo (fue esa brillantez móvil, como de llama, lo que me hizo advertirla de reojo) y que danzaba con los dulces y calculados pasos de una bailarina clásica. Advertí pechos sobre su torso blanquísimo y me la imaginé mujer. Nació así, toda junta y repentina, tan real que no verla un instante después me dejó igual de asombrado que su presencia, como si ésta fuera superior al error de mis ojos y se hiciera indispensable.

Reconozco que no fue otra cosa sino las secuelas de aquella confusión lo que me hizo volver sobre mis pasos, mirar de nuevo, introducirme por el resquicio del equívoco y atravesar la calle en busca (ridículamente) de algún rastro. Pero nada había salvo la calle, siempre interminable, flanqueada de casitas al sol, como puestas a secar, los balcones adornados de ropa limpia.

Y al fondo, bajo el cuidado débil de un árbol, allí donde las recordaba la última vez, cantaban las niñas coreadas a ratos por los ladridos de un perro lejano:

¿Qué son? ¿Dónde están?
¿Como encontrarlos?

De nuevo volví a tener la imperiosa sensación de que las respuestas a tales preguntas eran importantísimas y allí, bajo el sol, un escalofrío me hizo temblar.

¿Por qué tanto miedo? Ahora no sé explicarlo realmente. Recuerdo que por un instante pensé que había enloquecido, mi pulso se aceleró y mis sienes latieron con fuerza. Notaba la boca como hecha de corteza de árbol, áspera y seca. Pasé junto a las niñas con el terror aún encima (no sé por qué me dio por creer que habían visto también a la figura que bailaba y se reían en secreto de mí) y me apresuré hasta la casa azul, me tendí en el frescor oscuro del dormitorio y cerré los ojos.

Allí la vi, en la negrura de mis ojos. ¡Se me había quedado más ahí que todas las visiones reales del pueblo! Aún bailaba, se movía, con una gracia incomparable. Tenía una belleza aterradora pero huidiza, como la de un gamo, como la del agua cristalina de un torrente.

Cuando abrí los ojos de nuevo eran cerca de las siete. Me refresqué un poco en el lavabo mientras oía el murmullo acompasado de una radio lejana. Ya no quedaban rastros de mi terror (lo he atribuido todo a la fatiga del primer día de trabajo) pero me seguía inquietando la causa de aquella vívida alucinación.

Cuando bajé al patio hallé a Rosa preparando café.

—Querrá usted una tacita —me dijo, moviéndose con exactitud por la cocina oscura (Rosa ahorra electricidad hasta la noche, e incluso en ésta. Creo que por eso me dice que tenga cuidado con la lámpara).

—Se lo agradezco.

—¿Cómo le ha ido en el primer día, don Marcelo? —me preguntó desde la cocina y se volvió para mirarme—. ¡Virgen santa, qué pálido está! ¿Le ha pasado algo?

—El cansancio y la falta de costumbre. Un café me vendrá muy bien.

Fue tan considerada como para no seguirme preguntando. Di una vuelta por el patio mientras se hacía el café. Había una quietud mojada de plantas, un aire húmedo que llegaba a los pulmones antes de ser respirado. Decidí que no era una sensación agradable y entré en la cocina. Allí, sobre la mesa de mármol viejo, Rosa me sirvió una taza de café y unos dulces grandes recubiertos de azúcar. Acepté un poco de leche y observé las hojitas de nata desplegarse con suavidad en la superficie.

El café me entonó, pero tras varios sorbos tuve una sensación de irrealidad repentina. Fue cuando Rosa se introdujo en la zona más sombría de la cocina, de espaldas a mí, donde una oquedad en la cal pintada con llamas de hollín señala el lugar donde antes pudo haber una cocina de leña. Noté (noto) las palmas de las manos resbaladizas, la frente salpicada de algo frío, el pulso batiendo incontrolable en las muñecas. Aún ahora vuelvo a experimentar esa sensación. Evidentemente, la mañana de trabajo me ha engañado con su aparente brevedad. Quizá también el sol.

Rosa debió de percibirlo. Guardaba unos platos en un altillo (un sonido como de castañuelas fuertes), su cabeza flotando en la penumbra, como en un teatro de sombras, y de repente me dijo, sin mirarme:

—¿Por qué no se distrae un poco esta primera noche, don Marcelo? Roquedal no tiene muchas cosas para usted, pero puede pasear por la playa. Y si no quiere venir a cenar, no venga. Cualquiera que le busque por una urgencia, ya me encargaré de decirle que está usted en la playa, cerca de los bares. O donde usted me diga.

Acepté, pero no quise marcharme mucho tiempo. Le dije que estaría de vuelta en diez minutos y quedamos en que quien quisiera verme, esperaría abajo, en el vestíbulo. Salí al fresco violeta del ocaso y me sentí nuevo. ¡Qué buen médico es doña Rosa! El aire inminente de la noche olía a playa y todo Roquedal estaba tan animado que daban ganas de perderse. Caminé sin rumbo por las calles pequeñas, frotándome los ojos hasta dominarlos y parecerme que percibía en la penumbra, que podía aprovechar los últimos resplandores rosados, separar todavía el mar del cielo allí, a lo lejos.

Y hacia el mar fui, siguiendo el consejo de mi cuidadora. Bajé el último tramo de la calle principal casi veloz, con la débil sensación de que debía llegar al mar antes de que algo me sucediera. Y, sin embargo, nunca llegué.

Un grupo de jóvenes subía calle arriba mientras yo bajaba. Al pasar junto a mí oí:

—Buenas noches.

Y me volví. Algunas cabezas giraron indiferentes para mirarme pero solo una se mantuvo así el tiempo necesario como para que yo la reconociera. Era Rocío. Alzó una mano blanca, como queriendo confirmar que era ella, y que ella era la autora del saludo. Le respondí con mi propia mano y los vi alejarse. Vestía un algo negro que parecía mejor y más moderno que el conjunto a cuadros de esa mañana. Sus piernas blancas, descubiertas, habían prendido mis ojos y apenas adivinaba lo que había entre su cabeza dorada y ellas: un cuadro negro, una solución de continuidad era aquel vestido que invitaba a la mirada a imaginar. La vi perderse de nuevo en una calle cuesta arriba, como destinada a irse siempre por las cimas, a esconderse en la cresta de las cosas.

Y decidí seguirla.

No fue difícil. El grupo de adolescentes con el que iba era ruidoso y lento, sin disimulos. Ella siempre con las manos en la espalda, sus compañeros zumbando a su alrededor entre risas y gritos, ella en silencio.

Extrañamente, no temí en ningún momento que me sorprendieran. No había muchas direcciones que escoger en Roquedal: las gentes se cruzaban entre sí y se seguían sin voluntad de seguirse, se miraban sin querer, solo con abrir los ojos, el saludo (ya lo sabía) era un ritual de monosílabos sin importancia, porque siempre están ahí todos, no hay pérdidas. Yo la seguía a ella, pero podía no hacerlo y aun así, ir tras ella. Me sentí impune en la pequeñez del pueblo.

Llegamos a una calle flanqueada por una valla. En el otro lado, una farola emergía de la pared para iluminar con apropiada escasez la escena, dotarla de las adecuadas sombras. Los vi dirigirse al final del todo, hacia una casa pintada de colores de donde procedía el estruendo de una música constante, y entrar en ella. Jóvenes con cervezas de litro se sentaban en la acera como bultos o se erguían inquietos junto a la puerta. Me acerqué y la oscuridad me amparó. En las paredes de la entrada había una barahúnda de largas colas de pez y torso y rostro de mujer realizados con peor tino, como si el pintor conociera mejor a los peces que a las mujeres. En letras que pretendían ser olas azules se ondulaba un nombre: «La Sirena». La música ocupaba todos los sentidos y apenas dejaba ver más.

Entré. No sé por qué me sorprendió tanto el decorado rojo del interior. Quizá —pienso— me esperaba un mundo azul y submarino, pero no las profundidades rojas de la tierra. Las paredes, las luces, las sillas, las mesas, las caras y los cuerpos, todo era rojo y abrumador. Las personas se movían indecisas, cambiando constantemente de dirección, llevando cosas frágiles o derramables en las manos, bailando sin bailar, llenos de sonidos. Pero no me costó esfuerzo encontrar su cara.

Miraba hacia un grupo y no bailaba, no se movía, apenas sonreía, y me estremecí por segunda vez (desde que la había contemplado aquella mañana) porque supe que no había fingido seriedad delante de su madre: es seria. Tiene unos gestos seguros, una firmeza sin bromas, que no parecen pertenecer ni a su edad ni a su contexto. No podría decir si me gusta o no, si realmente es tan hermosa (a ratos me lo pareció) o tan vulgar. Pero aquella absoluta seriedad me inquieta. ¿Dónde aprendió esa sonrisa sin alegría, ese gesto que indica lo contrario de lo que es? ¿Hay alguna escuela para enseñar a impresionar sin voluntad, a saberse mirada sin conciencia? Supuse incluso, nada más verla, que ella ya sabía de mi presencia y me dejaba mirar. Era un juego invisible en el que ella era el enigma, el objeto contemplado, el ETER escrito en las paredes del camposanto, y yo el descifrador de códigos. Toda su figura me decía que no vacilaba: que estaba allí, seria y definida, iluminada en rojo, por un mero capricho, pero que en realidad pertenecía al mundo anciano del silencio.

Tanto más me sorprendió lo que sucedió después. Pero no me adelantaré a mi propia historia.

Permanecimos así un instante, ella escuchando a un interlocutor invisible (alguien le hablaba) y yo mirándola. Entonces la vi responder algo y marcharse de improviso.

—¡Rocío! ¡Eh, Rocío! —oí que alguien gritaba (no puedo estar seguro).

Pero ella se desasía de algo, quizá de todas las miradas, y salía imperiosa, se marchaba, se ocultaba fuera. Volví a seguirla y mis intenciones parecieron hacerse visibles, porque me sentí vigilado de repente. Pero salí también y la seguí.

—¡Rocío! —oía tras de mí. La llamaban. Quizá había discutido con algún chaval que ahora se arrepentía. La vi afuera caminando erguida y cubierta a medias por la sombra. Persistí. La música quedó atrás y volví a oír—: ¡Eh!

Ella se iba con rapidez, se disolvía con esa velocidad adolescente del impulso, del hacer algo ya, ahora mismo, sin esperar. Giró en una furiosa revuelta, su falda negra hacia el lado inverso, y la esquina la desvaneció completa. Cuando yo hice lo mismo, advertí una calle pequeña y ondulada por donde solo caminaba ella. Y entonces ya no pude ocultar que la seguía.

Y ella (eso creo) no ocultó más tiempo que lo sabía.

—Hola —dije. Se había detenido al final del callejón, frente a un solar tan oscuro que parecía el mar, el pelo rubio castaño, con olor a jabón, horizontal por la brisa que nos venía.

—Hola. —Tenía los brazos cruzados. Me miró al decir «hola» y no supe si le agradaba o no mi presencia. Volvió a fijarse en el solar oscuro.

Sospeché que no deseaba compañía, pero la necesidad de una excusa me dejó allí clavado.

—Entré en la discoteca y te vi —le dije—. Como saliste con tanta prisa pensé que te pasaba algo. —Confié en su adolescencia para que no se burlara de la estupidez de mi explicación. No lo hizo pero tampoco me ayudó: permaneció allí, clavada también, mirando a la nada.

—Escucha —dijo de repente.

Escuché. Había sonidos lejanos, confusos, una mezcla de paz y sucesos distintos, sin nombre: una música (la de la discoteca), la brisa, una amalgama de ladridos en algún sitio y quizá (pero creo que sí) la presencia del mar.

—¿Lo notas?

—¿Qué?

Ella me miró de nuevo, como sin voluntad.

—Pues no sé. Nunca hay silencio, ¿no te parece? Cuando hay silencio no lo hay. Aquí en Roquedal es fácil saberlo.

Creí comprender lo que decía y asentí. En la ciudad los ruidos nos hacen pensar que el silencio es siempre la nada. Pero aquí, en Roquedal (lo noto ahora), el silencio está lleno. Iba a decirle esto cuando comprendí, al mirarla, que no me escucharía. Algo descendía por sus mejillas, brillante, lento, sin un murmullo.

–Lo siento –dije–. A lo mejor quieres estar sola.

Me llamó la atención su forma de llorar, como si algo dentro de ella no lo permitiese y las lágrimas escaparan rebosando sin querer. No había espasmos en su cuerpo, no había gestos. Era un llorar sin ayudas, sin señales que lo traicionaran, lento y denso, sin inteligencia. Parecía estar frente a alguien que le ordenaba no hacerlo y ella, de puro despecho, lo hacía, o se aguantaba hasta no poder más y al llorar se desmentía diciendo: «No lloro, me estoy llorando sin poderlo evitar. Míralo».

La dejé un instante en ese estrecho silencio y la envolví en un abrazo.

–Bueno, bueno. Ya vale. –Notaba su pelo junto a mi rostro, su olor a jabón–. Has tenido un disgusto con alguno, ¿no? Ya se acabó.

Su forma de mirarme entonces, adulta, contenida, los ojos grandotes y húmedos, el entrecejo clavado débilmente en un gesto de tristeza y preocupación, me hizo saber que aquella niña podía convertirse en una obsesión. La dejé y me aparté, temiendo que se hubiera ofendido.

Pero entonces dijo:

–Vete del pueblo, Marcelo.

–¿Qué?

–Ten cuidado. Mejor harías en irte.

–¿Por qué? ¿Qué ocurre?

–Vete, Marcelo. El pueblo no es bueno para ti.

–¿Te refieres a Roquedal o a Estío? –pregunté tontamente.

El impacto de esta tontería pudo ser una piedra sobre ella. La vi retroceder, huidiza como un fantasma, mientras me miraba con los ojos tan abiertos como bocas gritando. Por primera vez algo (¿en lo que dije?) había hecho que sus labios se despegaran trémulos y alguna emoción terrible saltara sobre su rostro, aferrándolo. La oí murmurar:

–Dios mío.

Y seguir alejándose de mí, trastabilleando con las piedras por no mirarlas, como si solo yo existiera, o solo mi rostro, flotando ante ella. Murmuró, otra vez:

–Dios mío.

No entendí lo que pasaba. He llegado a pensar que está enferma, porque su reacción fue sorprendente, pero aún lo fueron más sus palabras después, cuando se alejaba (aún murmurando):

–Marcelo, Dios mío, vete mañana mismo, Dios mío, no sabes…

Y echó a correr por fin con una soltura extraña, como si su atractivo fuera irrenunciable. Solo se volvió una vez, al final de la callejuela, para gritarme, solitaria como una gata:

–¡Vete de aquí!

Y se perdió mucho más rápida que su imagen: aún la seguí viendo cuando ya no estaba. Se fue antes que su presencia, la calle la contuvo un momento más, dejó como un eco ligero de ella, antes de aparecérseme por fin vacía.

He llegado a la casa azul, he cenado y no he podido dormir. Y ahora, de madrugada, terminando el recuerdo escrito de este día, sigo insomne. Rocío es extraña. ¿Qué ha podido ocurrirle? ¿Por qué dice que debo tener cuidado? ¿Y qué le asustó tanto cuando le mencioné el nombre de Estío (¿quizá el mismo nombre?), esa broma absurda de los niños de ayer?

Termino y me voy a la cama, aunque sé que mis pensamientos me mantendrán desvelado un rato más.

3

¡Dos días sin escribir y tantas cosas! O quizá ninguna, todo depende de mi punto de vista y de mi juicio. Y ojalá que ninguna, porque estoy inquieto por la seguridad de ambos (me parece estar enfermando, como cuando Mariela me dejó). Y sin embargo, ayer nada lo presagiaba.

Me desperté ayer sin resabios extraños, inundado de ganas de empezar, olvidados o en trance de olvidar mi error óptico del día anterior y las locuras adolescentes de aquella niña (es la envidia seguramente la que me hace llamarla así: es más adulta que yo) y su repentino e incomprensible pánico. Me estrené de nuevo en mi consulta con bastante éxito. Fue satisfactoriamente breve: pacientes escasos y fáciles, revisiones en su mayoría. En los largos intermedios hasta la hora de cierre pude charlar con Marta. Su perspicacia parecía ser contagio de la de Carmen, porque retomó el tema dejado caer levemente el día anterior con una facilidad exenta de brusquedades:

—No me explico, y perdóname, cómo te pasas los veranos en estos pueblos sustituyendo a los colegas. ¿Y el resto del año?

—Me gusta trabajar en las vacaciones de los demás —le expliqué—. Particularmente en los pueblos. Eso es lo que hago todo el año.

—¿Y nunca has trabajado en un hospital?

—Bueno, sí. Hace algunos años.

Quedó en silencio, ávida de mis explicaciones. Decidí complacerla a medias, porque qué más da. Jugué un poco con el bolígrafo sin punta trazando surcos invisibles en la mesa. Ella me miraba y yo miraba sus manos aguardando pacíficas, encadenadas con pulseras gruesas a cada lado.

—Pedí una excedencia. El hospital te exige mucho y yo llegué a un punto en que… Bueno, me fundí. Me recomendaron un descanso y me lo tomé.

—Hiciste bien.

Hasta ahí todo era verdad. ¿Para qué continuar? Ella parecía satisfecha e incluso agregó algo que evidenciaba que su preocupación fundamental no era precisamente mi vida privada:

—Yo también pediría una excedencia.

Lo dijo como si se tratara de pedir sin ganas, a sabiendas de que da igual.

—No te sientes muy a gusto aquí, por lo que veo.

—Estoy a gusto, pero es distinto. Roquedal es —pensé que diría «precioso» y me felicité— precioso, pero…

—Muy pequeño.

—Tampoco es eso. Me siento a gusto precisamente porque es pequeño. Lo que ocurre es que a veces me parece justo lo contrario: es tan grande que nunca llegas a irte del todo de él por mucho que camines. —Rió esplendorosa y su pecho volvió a bailar, ceñido—. Quiero decir que cuando vives en él mucho tiempo, llegas a profundizar. O sea, te parece todo igual, pero nada lo es: cada cosa es diferente, cada historia distinta, cada persona… ¡llegas a conocer a cada persona! Sus vidas, sus propias historias. Llegas a pensar que la impertinencia es inevitable, porque ellos están en ti lo mismo que tú en ellos, y cada vida parece… pendiente de las otras. Al final todo resulta tan complicado que ansías la soledad pequeñita de la gran ciudad. —Volvió a reír y descubrí que lo hacía sin ganas y sin fe, como enseñada desde muy niña a que la risa y la alegría nunca van juntas—. No sé: es como mirar por un microscopio. ¡Las cosas pequeñas son terriblemente complejas cuando las detallas!

–Así que ambos huimos de lo mismo desde sitios opuestos –le dije–. ¿No será que la complicación está en nosotros?

La idea pareció gustarle: jugó con ella mirando hacia el techo con sus ojos pequeños, las manos ondulantes expresando ya su opinión antes de hablar. Parecía una gatita luchando por desovillar una madeja de lana más grande que ella.

–No sé, no sé –dijo–, puede ser. Quieres decir que tú también huyes de la complicación, pero en este caso de la que hay en la gran ciudad, ¿no? Pero no es eso lo que he querido decir: la complicación de Roquedal es diferente. El pueblo en sí es diferente: no hay dos esquinas iguales, dos calles semejantes, no sé…

–Me parece que estás equivocada.

–¡Es que tú no te fijas! Llevas apenas un día y no te fijas. ¿Has sentido lo que te digo en otros pueblos?

Marta esconde una inteligencia interesante, sorprendente. Su pregunta me hizo pensar que no se creía –con razón– mi pequeña mentira de las sustituciones en los pueblos, pero, como es lógico, temo contarle mi absoluta inexperiencia en ellas. Quizá más adelante, con más confianza, pueda decirle que Roquedal es el primer lugar donde trabajo después de superar una crisis que me mantuvo dos años apartado de la profesión. Fuera como fuese, disimulé mi paranoia y dije:

–No. Me parece que no.

Y mi propia desgana y la coincidencia de otro paciente extinguieron el tema. Ahora pienso: ¿Marta sabe algo más que no ha querido contarme? ¿Qué significa realmente la «complicación» de lo pequeño? Pero debo proseguir en orden.

Al terminar, me tocó el turno de sonsacarle algunos datos. Le pregunté por Carmen, la matrona, con la esperanza de saber algo sobre Rocío. Me contó que era natural de aquí y que había enviudado hace unos diez años. Su marido era enfermero y practicante, y Marta lo sustituyó cuando falleció (de un infarto, al parecer). Rocío era su única hija, muy mimada y muy rara, aunque, según Marta, con esa rareza tan típica de los hijos únicos y mimados (lo dijo con tono compasivo, como si ella también lo fuera). No había querido estudiar pero a la madre no le importaba: la mantenía así, ignorante e intocable, solo para ella, aunque Rocío le había salido rebelde, fría y despegada. Carmen sufría, «porque la quiere mucho», pero ha tenido que aguantarse y cederle terreno sin remedio. Rocío ya tiene dieciocho años (eso cree Marta) y hace de su capa un sayo. Razoné en conclusión que, para Marta, Rocío es una especie de bestezuela inevitable donde se han ido acumulando las frustraciones de Carmen. Nada me supo o me quiso decir sobre sus costumbres (salvo que era «solitaria») y a mí, en contrapartida, me pareció inadecuado contarle lo sucedido la noche anterior. Quedamos, pues, así, ambos quizá ignorantes de nuestro respectivo interés −ella en contármelo, yo en oírlo− y dejamos ahí ese segundo tema.

Hubo ayer dos avisos para que acudiera a los domicilios, y me propuse terminarlos antes de la siesta. Parecía día de mercado y había cierto movimiento laborioso de las gentes, cierto aroma de peces capturados que subía por las calles, desde las tascas de la playa, y grupos de hombres descalzos o con chancletas transparentes como medusas que iban y venían sosteniendo las anacondas de redes enrolladas que destriparon en la plaza y dejaron allí abiertas, extendidas. Me sentí como transfigurado por aquella invasión, aquel brazo de mar con pescadores, barcas y redes que recorría las calles y se colaba en las casas, y me pregunté por qué no había bajado todavía a la playa desde que estaba en Roquedal. Tuve ganas de mar mientras deambulaba por las calles, pero pensé que aquello ya lo era: como la espuma lechosa de las olas, como la orfebrería destellante de las caracolas o las conchas. Me dije: esto no es el preludio del mar, esto ya lo es. Un bullicio repleto de vida que me rodeaba. La complicación incesante de lo pequeño.

Eso pensé, y sin saber la razón, tuve miedo.

La primera llamada fue sencilla: era la revisión mensual de un anciano (con esa barba blanca del descuido, los ojos brillantes como los de los propios peces, las venas rígidas como cordajes) restringido por una parálisis hemicorporal. La casita en la que vivía con su mujer daba a un patio compartido con sus vecinos «de siempre» que se asomaban, pendientes de mis palabras (una barahúnda de niños y el más pequeño, casi simbólico, en los brazos de la madre), por saber qué le decía yo «al abuelo».

La segunda llamada empezó con las mismas apariencias: era una niña, la hija pequeña del dueño de uno de los bares, que había amanecido caliente como la playa. Nada más entrar (era una casa de una planta con dos ventanas a la calle, enrejadas, donde languidecían geranios presos, y un vestíbulo fresco y oscuro) me recibió un grupo indeterminado de vecinos y familiares entre los que divisé la angosta altitud de Juan, el farmacéutico.

—Hombre, Marcelo, buenos días. A ver qué le pasa a esta niña.

Con aquellas palabras parecía cederme una jerarquía que hasta mi llegada nadie le había disputado. Saludé a todos y todos me saludaron. Alguien (alguna voz) me recordó que yo no conocía el camino y fue la primera (detrás, todo un coro) en advertirme:

—A la izquierda, doctor. Al fondo a la izquierda.

Y por allí avancé (era un pasillo breve) bajo todo un palio de miradas solemnes y atentas, con Juan siguiéndome a la distancia del aliento.

—Yo creo que es gripe, pero los padres están muy asustados. Le he dado un salicilato infantil porque tenía más de treinta y nueve. No sé si he hecho bien.

—Muy bien, Juan, muy bien.

—Soy amigo de la familia —me respondió a la pregunta que no le había hecho—. Me avisaron y prometí llegarme en cuanto cerrara la farmacia.

La habitación en la que entramos era pequeña y olía a una agradable clausura. La ventana daba a la calle posterior (o a una de las laterales) y el sol desparramaba los rayos sin dirección, como si alguien lo hubiera arrojado dentro, dorando paredes y suelo. Una repisita blanca y pequeña como una casa de muñecas guardaba la cercanía de la puerta y apenas más allá se encogía, de breve que era, una cama artesanal (me supuse que sería manufactura familiar, quizá paterna) sobre la que se extendía una colcha bordada con corazones rojos. Bajo la colcha, un bulto. La madre entró con nosotros y se nos adelantó (era, aún era, bonita, de pómulos altos y ojos ligeramente orientales, el pelo manchado de canas y alborotado por una noche inquieta) para descubrirnos lo que había debajo.

Se sentía antes la fiebre, la enfermedad, los olores rancios pero no repugnantes, y después se veía a la niña.

Era linda y flacucha, de largos cabellos negros lavados por el sudor y la calentura, la gran mirada febril y asustadiza como un conejo sorprendido. No tendría más de ocho años. Envolvía entre sus brazos la peor muñequita de todas las que había en la habitación (esa apetencia de los niños por lo más simple nunca deja de sorprenderme): una figura de trapo sin cara con hilachas amarillas y falda a cuadros.

—A ver, Verónica, que está aquí el médico.

Pero Verónica se encogió más en la cama sin despegar los ojos de mí. Su rostro era un susto gracioso.

—Verónica, niña —le regañó la madre sin ganas—. Que este señor te va a poner buena.

—Está asustada —dijo Juan sobre mi hombro.

En una diminuta mesita de noche (también blanca) junto a la cama, se erguían un vaso de colorines y un reloj con cara de payaso de cuya narizota roja emergían finas manecillas. Producía un ruido fuerte y acompasado de tictac. La niña pareció refugiarse en su contemplación, aún temerosa. Aprovechando esa tregua de su vigilancia, dejé mi maletín a los pies de la cama, donde ella no pudiese verlo, y le pedí a la madre en voz baja una cuchara. Entonces le indiqué con gestos a los curiosos que se retiraran hasta el umbral (incluyendo a Juan) y le hablé sin moverme, sin acercarme aún, como el que espera capturar con las manos un pajarito, algo que puede romperse si se es brusco:

—Verónica, hola.

La niña no me miraba. Miraba su reloj y abrazaba a su muñeca.

—Qué reloj tan bonito, Verónica.

Hubo movimientos a mi espalda, que yo traduje como signos de inquietud por el estado de la niña o de impaciencia por mi labor. Proseguí con tranquilidad:

—¿Te despierta todos los días?

Siguió sin mirarme y sin decir nada. Junto a mí flotó de repente una cucharita metálica: la madre, detrás, sin atreverse a interrumpirme, la sostenía por un extremo con dos dedos, como si quemara. La cogí y le di las gracias, indicándole con gestos que se acercara. Entonces me agaché cuidadosamente junto a la cama.

—Ahora voy a ver qué hora es, Verónica.

El reloj tenía un asa grande y verde que simulaba el sombrero hueco del payaso. Lo cogí de ella y lo sostuve frente a la niña como un péndulo. Confiaba en que siguiera mirándolo, distraída, y así poder examinarle la garganta con más comodidad. Ella quiso quitármelo, pero débilmente como si prefiriera contemplarlo desde lejos.

—Mira, hace tictac. Dilo tú también: tictac.

Acerqué la cucharita tentativamente. La niña tenía la cabeza en la posición correcta pero no despegaba los labios. Sabía que al final terminaríamos haciéndolo por la fuerza, pero preferí esperar.

—¿Sabes qué hora es, Verónica? —Percibí de reojo que la madre había dejado de mirar a la niña y me miraba a mí. Pensé que le intrigaba mi paciencia y sonreí—: ¿Quieres que te diga la hora, Verónica? Y después me la dices tú con la boca bien abierta.

En ese momento miré hacia el reloj para decírsela y comprobé, sorprendido, que no podía: el reloj no tenía números. Es más, poseía cinco manecillas pequeñas, de diferentes formas, y dos más grandes y sinuosas que no señalaban hacia los extremos de la circunferencia sino hacia dentro.

Y debajo, como si ostentara una marca de fábrica, sobre los labios sonrientes del payaso, un nombre en letras azules, grandes, temblorosas: ESTÍO.

Sentí como agua helada en mi columna vertebral. Se me olvidó por un instante qué hacía yo allí, con una cuchara en la mano, agachado en la cabecera de una cama. Y comprendí, creo que en el instante siguiente, con esa lucidez que da la tensión, que debía simular no haber visto nada: por suerte, la madre parecía estar ahora más pendiente de la niña que de mí, animándola para que abriera la boca.

Una fugacísima inspección (el tiempo apenas que recorrió la imagen hasta mis ojos, justo antes de que cerrara su boca por última vez) y una leve palpación de sus ganglios me convencieron de la existencia de una inflamación de las amígdalas. Mientras prescribía las medidas que me parecían oportunas, comenté como de pasada:

—Un reloj muy bonito. Si tuviera hijos, me gustaría regalarles uno igual. ¿Dónde lo compraron?

La madre me sonrió y fue a decir algo. Entonces otra voz se adelantó:

—Lo compramos hace ya tiempo, no recuerdo dónde, y lo guardamos para darle una sorpresa, pero allí se nos quedó. Y me dije: ahora que está mala, vamos a ponérselo ahí cerquita.

Debía de ser el padre: bajito y rechoncho, con una camisa que fue blanca coloreada por manchas de café y tensa en el vientre abultado, las manos húmedas y rojas caídas a ambos lados del cuerpo, como si gotearan. Tenía el pelo castaño y los ojos achinados de su esposa. Me dio la impresión de haber salido directamente del trabajo, preocupado. Todo eso supe al verle.

Y, además, supe que mentía.

Los demás (salvo Juan, que había ido a conseguir las medicinas que yo había indicado y avisar a Marta) me miraban con expectante seriedad.

—Bueno, debo irme —dije.

Nadie se movió.

Y de improviso el reloj hizo sonar unas tenues campanitas momentáneas. Fueron tan débiles como un hálito pero se me quedaron flotando cerca del oído mucho rato después de cesar: una melodía de siete u ocho notas que se me antojó familiar. No era difícil oír con la imaginación la letra adecuada:

> *¿Qué-son? ¿Dón-de es-tán?*
> *¿Có-mo en-con-trar-los?*

Salí de la casa entre agradecimientos y despedidas amables pero con una exasperante sensación de haber hecho algo que no debí, de haber cometido un ínfimo error, imparable ya, como el sonido de un murmullo soltado entre los desfiladeros que crece hasta el alud; una diminuta inminencia que me seguía, pegada a mí, invisible pero creciente, anunciando un holocausto incomparable (la cerilla encendida en el bosque seco). «Vete de aquí, Marcelo. Este pueblo no es bueno», oía la advertencia de Rocío como un grito silencioso: «¡Vete de aquí!».

No sabía qué conclusiones extraer, salvo que todos me mentían, probablemente desde el principio. Todo Roquedal sabía algo que callaba, algo que tenía que ver con los niños, con las canciones infantiles y los círculos de tiza, con el nombre de «Estío» (¡que tanto aterrorizó a Rocío cuando se lo dije!) y con relojes de manecillas abstractas que no marcan la hora.

Angustiado, llegué a la casa azul y le dije a Rosa que no quería almorzar. ¿Podía fiarme de ella? Decidí que no, tampoco. Subí sin prisas a mi habitación y me afané en dormir creyendo que no lo conseguiría, y me dormí incrédulo.

Soñé algo. Ahora se me ha olvidado en parte. Solo recuerdo un aire bramador salpicado de gotas de espuma, fuertes y saladas, y la presencia de alguien junto a mí. Su mirada era transparente y yo podía ver la playa tras ella, las olas enérgicas, la grava arcaica de la orilla, las trompas nacaradas de las conchas. Un regusto salitroso se me prendía en la boca mientras miraba por entre aquellos ojos. Era mirarlos y saber que no contemplaba un ser sino una búsqueda. Y desconocía si mirarlos era hallar lo que buscaba o perderlo para siempre: mi tormento residía en la terrible certeza de saber que si no miraba, nunca encontraría. Me oprimía, eso sí, una sensación agridulce de reconocimiento, de encuentro con algo tras toda una vida de distancia, una llegada amarga como una despedida. Y yo me disgustaba, porque aunque había obtenido lo que quería, ya no era. Porque aunque mi vista —fija en aquellos ojos marinos— poseía lo que buscaba, lo escapaba, lo dejaba escurrirse mirándolo (era como atrapar por un instante el viento y las olas, lograr verlos, cerrar los ojos y pensar: así son). Porque lo obtenía y lo perdía solo con mirarlo.

Desperté con el sonido de un piar frenético y un aleteo suave de pañuelos para ver a un gorrión atrapado por su propia inquietud entre el alféizar y los barrotes de mi ventana. Y como si hubiera persistido allí tan solo para que le viese y me apenase, cruzó enseguida los obstáculos y se disolvió en el aire salado.

Ya con la tarde a mis espaldas, algo más tranquilo, me dispuse a aclarar las ideas. Una, en particular, centraba mi interés: averiguar todo lo posible sobre la historia de Roquedal y sus habitantes. Sospechaba que en el pasado se hallaría la clave que relacionaba la vida del pueblo con el nombre de «Estío». ¿Tendría don Roberto, por casualidad, algún libro sobre ese tema?

Y de puro pensar, di con el recuerdo de la mención que del trastero me hizo Rosa cuando llegué: «Don Roberto ha dejado sus cosas en el trastero, para no molestarle». Me inventé un excusa fácil –la búsqueda de algunos libros de medicina que me resultaban de imperiosa necesidad– y conseguí que Rosa me diera la llave del cuartucho.

El trastero quedaba en una buhardilla picuda, un palomar que remataba la techumbre de la casa azul, un vértice sin punta señalando al cielo que impresionaba más por dentro que por fuera, separado del resto por un corto tramo de crujidos de escalera y por una puerta de madera nudosa que también se atasca incluso abierta.

En el interior, una colección de polvo y rancidez, innúmeros objetos desacordados grises como el invierno, acumulados quién sabe por quién, por qué o para qué (creí por un instante que para que yo los hallase), varillas de paraguas, llantas de bicicleta, motores, cables enroscados y dormidos, maletas, abanicos, un baúl del color de la grosella, estanterías que ya ni siquiera lo eran pero aún con libros, algunas cosas amortajadas en trapos y un armario de dos puertas. Las maletas y el baúl contenían ropa apolillada y aplastada por el tiempo, con iniciales bordadas (uve, mayormente); los libros eran viejos manuales de medicina, algunos de antes de Fleming, que supuse pertenecerían a don Roberto; las cosas bajo los trapos seguro que sí le pertenecían, pues eran cajas con ropa nueva de invierno y algunos objetos personales. Llegué por fin al armario y lo hallé cerrado con llave.

Tras dudar un instante decidí abrirlo. Tiré de las argollitas que adornaban sus dos puertas y, aunque una no pudo más y se me quedó en la mano, la otra trajo consigo la hoja quebrando un poco la madera gastada del pestillo. Hubo un escándalo de polvo que resolví tosiendo y esperando. Entonces abrí ambas puertas y me asomé al interior.

Allí estaban, casi ordenados. Eran objetos y no lo eran, porque eran objetos sin objeto, esfuerzos en apariencia inútiles, acertijos sin solución.

Había un disco de cerámica del tamaño de una mano adulta dividido por la mitad y con una nube grabada en ambas caras, una blanca y la otra oscura. Traía un rótulo en el borde, como las monedas: «Estío». Y dos lingotes largos y pesados pero no preciosos, cortados con la bastedad que exige el metal vulgar. En cada uno de ellos se retorcía una rama de hojas pentalobuladas y simétricas penetrada en el eje, a modo de caduceo mal simulado, por una línea quebradiza y el mismo rótulo, «Estío», grabado en la base. Y otro disco, éste más grande y abierto, broncíneo de color y de peso, semejante a los que albergan la rígida danza de Siva, pero de factura impropia, irregular, mal tallado, con una ausencia casi difícil de compás, y un rótulo diferente: «Otoño Circular». Por fin, un vasito de cristal o de un algo que en todo lo imitaba salvo en la consistencia y que —me siento culpable— se me quebró entre los dedos al cogerlo, como nieve molida. Su fondo, intacto, contenía un signo que no pude reconocer y de nuevo el nombre de «Otoño Circular».

He dicho «por fin» pero se me olvida el último, el que ahora tengo delante mientras escribo porque fue el único que me atreví a robar: un curioso mecanismo del color del cobre viejo o del hierro laboriosamente oxidado formado por una barra parabólica, como la del mundo de un astrolabio, bajo la que descansan un espejito cuadrado y la figura de un animalillo rápido (¿conejo?, ¿ratón?, ¿zarigüeya?), preparado para el salto, ambos colocados en sendos extremos de una palanca diminuta que se balancea por el centro. El artilugio tiene un nombre grabado en su base elíptica: «Estío».

No pude intuir el significado último de aquellas inutilidades enterradas tan en el fondo de la casa de don Roberto, ni siquiera el pormenor de si éste conocía o no su existencia (ya que no es oriundo de Roquedal). Una cosa sí sabía: aquel nombre —Estío— estaba secretamente vinculado con el pasado o el presente (o ambos) de Roquedal bajo la forma de una leyenda grabada en varios objetos imperfectos (relojes que no tienen horas, círculos abollados) cuyo fin me elude constantemente. Y ahora contemplo el mecanismo primario, casi infantil, del espejito y el animal: es algo más que un adorno pero no llega a revelarse utensilio. Es como si quedara a media distancia entre lo hermoso —no demasiado— y lo capaz —pero ¿de qué?—. Solo descubro un torpe vaivén de columpio que ni siquiera busca proseguir: se detiene cuando no lo empujo. ¿Es que falta alguna pieza? ¿Y qué significaba la intromisión de ese otro rótulo, ese nuevo nombre extraño, perteneciente al resto de los objetos, «Otoño Circular»?

El día de ayer murió sin respuestas. Por dos veces (que recuerde) me rondó la idea de salir al frescor marino de la noche y buscar a Rocío, que yo suponía tenía las claves y querría decírmelas, pero el tiempo se me pasó considerando si sería prudente hacerlo después de su inquietud de la noche anterior.

Tras un sueño sin ensueños me levanté hoy decidido. La consulta se me hizo inusitadamente larga y mi charla con Marta estuvo restringida a lo habitual (y sin embargo, me da la impresión de que también podría hablarle de esto y ella me explicaría). Salí a un aviso domiciliario sin complicaciones y al terminar hallé a Rocío como esperándome (esperándome realmente, según comprobé después) junto a la casa azul.

A esas horas de sol amarillo, las calles como un inmenso trigal y el aire lleno de sal quieta, solo ella paseaba lenta, los brazos cruzados, como montando guardia. Pero no dejé de notar que las casas cercanas entreabrían sus cortinas y nos vigilaban.

—Así que no te has ido —me dijo, pero no parecía un reproche sino casi la alegría contenida de confirmar algo sospechado.

Vestía una pieza oscura salpicada de minúsculas flores verdes, las mangas y el borde inferior de la falda jovialmente ondulados, como a medio camino de un traje de sevillana. Los ojos grandes no pestañeaban: se mantenían azules y dulces mientras ella aguardaba así, los brazos cruzados, inmóvil ya, su silueta apuntando con la precisa sombra de un reloj de sol. Llegué hasta ella y dije:

—Rocío, quería hablar contigo.

—Y yo quería que te fueras.

Desvió la mirada. Pensé de pronto en una grandiosa actriz, tan seria, tan hecha a su papel, con las expresiones justas y los tonos adecuados, pero repitiendo, al fin y al cabo, un diálogo ya escrito.

Miré a mi alrededor: dos mujeres que nos miraban, de pie en un estrecho portal, retornaron a mirarse y continuaron alguna charla ficticia. Paseamos por entre las casas en dirección a la playa. No sé qué sentimientos contradictorios me surgieron para adivinar el lenguaje inverso de Rocío: quería decir «quería que no te fueras» al decir «quería que te fueras». Estaba allí para verme no viéndome. Me esperaba sin esperarme para desear mi ausencia en mi presencia. Eran palabras como reflejos en un espejo y había que emplear otro para descifrarlas. Aquel juego se me antojó más dulce que la propia verdad.

Sin preámbulos, le hablé de los objetos: el reloj de payaso que carece de horas y tiene más de seis manecillas, de los que yacían en el desván de la casa azul. Ella, sin preámbulos, habló también:

—Son objetos.

—Pero ¿para qué sirven?

Se encogió de hombros.

—Nadie lo sabe.

—¿Y por qué llevan grabados los nombres de «Estío» y «Otoño Circular»?

—Supongo que porque proceden de allí, no lo sé. Te los encuentras con frecuencia por todo Roquedal

—¿Quieres decir que Estío es un lugar y Otoño Circular otro?

—Eso creo.

—¿Y por qué nadie quiere hablar de ellos, nadie los menciona?

Rocío caminaba mirando al suelo, como siguiendo huellas invisibles.

—Quizá porque no entendemos muy bien lo que sucede: no sabemos dónde están.

—Soy yo quien no lo entiende: ¿nadie ha ido nunca a Estío ni a Otoño Circular? —pregunté, incrédulo.

—Que yo sepa, nadie. Pero en Roquedal hay mucha gente que no ha ido nunca a ninguna parte y, sin embargo, nadie duda de que existe el mundo. Y que existen Estío y Otoño Circular.

Medité un instante.

—Rocío, la otra noche me dijiste que tenía que irme de aquí. ¿Por qué?

—Porque sí —contestó bruscamente. Se observaba los brazos pálidos, aún cruzados, mientras caminaba—. Los que vivimos aquí, estamos acostumbrados; pero lo que vienen de fuera y saben de estas cosas tan de repente como tú, se obsesionan y desean ir a Estío o a Otoño Circular…

—¿Y?

—Que nunca lo consiguen.

—¿Y?

Volvió a encogerse de hombros, la barbilla apoyada en el pecho, todo el cabello rubio castaño ocultando su rostro. Cuando supe que no obtendría otra respuesta, intenté sonreír.

—No te preocupes, Rocío. No estoy obsesionado con ir a Estío ni a Otoño Circular. A decir verdad, ni siquiera creo que existan. Más bien parecen leyendas antiguas, tradiciones que queréis mantener a toda costa mediante una credulidad ingenua.

Ella guardó silencio y yo volví a sonreír.

—Este sol nos hace a todos demasiado crédulos —dije—: el otro día me pareció tener una visión.

—¿Una visión?

—Una ilusión óptica.

Se detuvo y me miró directamente a los ojos. La oí murmurar apenas, como si no quisiera decirlo:

—¿Cuál?

—Creí ver la figura de una mujer calva bailando en plena calle.

Rocío había palidecido. Me dejó de mirar con aquellos ojos desmesurados y siguió caminando en silencio.

—¿Qué te pasa?

No contestó. Habíamos llegado al final del pueblo, al terraplén y el grupo de árboles que marcan el comienzo de la playa: lomos verdes y blancos de barcas de pescadores se alineaban en la arena, a lo lejos. Rocío se detuvo en el césped, bajo la sombra, y se echó allí, lenta como si en verdad fuera su nombre, sobre la hierba fresca. Quise seguirla pero me dijo, sentada:

—No. Vete. Mejor vete.

Volvía a hablarme con aquella imperiosa furia interna, aquellos invisibles estados adultos que me dejaban indefenso y niño. Pensé que era una muchacha portentosa, una maga, que con ella se podía llegar a conocer la parte extraña del amor (te pasas toda la vida amando y contemplando la luna, y nunca descubres sus caras ocultas) velada y original: un amor negativo, plata y negro, revelado en la oscuridad. Eso pensé de ella, pero no al verla allí sentada sino al oírla, al sentir los acentos apremiantes y duros que eran como órdenes de una mujer más profunda que ella. El mar la continuó, bramando lejos.

Lloraba de nuevo.

—Te has perdido, te has perdido —la oí susurrar.

Y de repente pareció recobrar una especie de vigor: se limpió la cara con las manos y la alzó para mirarme. La mirada, viniendo de ella, desde abajo, era desproporcionadamente alta y grande.

—Márchate, Marcelo, es lo mejor —me dijo con serenidad—. Pero si no quieres, hazme caso: olvida todo lo que hemos hablado. No pienses más en Estío y Otoño Circular ni en la figura que viste. No hay nada importante en eso, pero podrías obsesionarte. Deja todos los objetos que encontraste en su lugar, no te quedes con ninguno. Y, sobre todo, no te acerques al cementerio de noche. Prométeme que no te acercarás al cementerio de noche.

Aquella sarta de apresurados consejos se me antojó ridícula, pero ya he dicho en otras ocasiones que Rocío nunca da risa, ni lo que hace ni lo que dice, y no reí.

—Prometido —le dije alzando una mano—. No pensaba hacerlo de todas formas.

—Es muy importante que no lo hagas. Pero hay una última cosa…

Se levantó con rapidez, sin dejar que la ayudara, y se sacudió las briznas del vestido. Me miró casi compasivamente (tuve cerca su rostro blanquísimo, su perenne olor a jabón y agua clara, los labios rosados y naturales, sin pintar, el dulce vello de las mejillas: tan bella que quise besarla pero, por primera vez, tan niña que no lo hice).

—Lo más importante de todo: olvídame a mí.

—¿Qué?

—No quiero que nos veamos más. No me hables ni te acerques a mí a partir de ahora —se detuvo un instante y parpadeó—, aunque yo lo haga… No me hables aunque yo te hable, no me sigas aunque yo te lo pida. Es muy importante, Marcelo, por favor.

—Rocío, basta ya de tonterías. ¿Qué pretendes con todo este absurdo? ¿Asustarme? ¿Qué te pasa?

Pero ella ya se iba: siempre su espalda recta, su vestido con esa brisa de la despedida perenne, siempre esa trascendentalidad de su partida. La llamé:

—¡No voy a hacer nada de lo que me has dicho hasta que no sepa lo que pasa! ¿Me oyes?

Se volvió un instante, justo cuando yo comenzaba a creer que no me haría caso, y de repente se me ocurrió pensar que, al fin y al cabo, solo era una chica solitaria y quizá enferma. Así, de lejos, su delgadez y su vestido ondeante iluminados por el sol, ni siquiera me parecía atractiva.

—¡Quiero saber lo que ocurre! —le dije—. ¡Si tú no quieres explicármelo todo, lo averiguaré por mi cuenta! ¡Pero hasta entonces no hay trato!

Fue casi glorioso verla tan apesadumbrada, la cabeza con los rizos rubios caída, como doliente. Permaneció un instante así y dijo:

—No creo que pudiera explicártelo. Habla con don Baltasar, si quieres. Él sabe muchas cosas. Adiós, Marcelo. Ten cuidado.

Y se fue del todo. O no del todo: como siempre, me pareció que persistía cuando dejé de verla.

«Don Baltasar.» Lo recordé: el hombre del que Juan me había hablado. El rico del pueblo (que fue rico y ahora loco) que vive en las afueras. ¿Quizá junto al cementerio? Sonreí.

Y todo me pareció de repente fruto de un juego, un capricho, una broma compartida o un mito. Me reí a solas mientras regresaba a la casa azul: el cementerio de noche, los objetos inservibles, los nombres de lugares que nadie conoce, la sabiduría de don Baltasar eran como partes distintas de una misma leyenda, o una red de varias leyendas entrelazadas, la complicación enorme de lo pequeño, la complejidad babélica del detalle. Y yo iba por entre ellas como por entre las calles de Roquedal, que no hay dos semejantes, de este pueblo minúsculo plagado de secretos legendarios, me introducía entre ellas como un pez en la red, cada vez más, cada vez más, sin hallar la salida «por mucho que caminase».

Y ya aquí, de noche, contemplándome en la ventana mientras escribo, me siento enfermo. «No te obsesiones —oigo a Rocío—, ten cuidado, Marcelo, no te obsesiones.» No lo estoy: es esta tremenda fatiga que me aferra de brazos y piernas,

este cansancio que me empuja de los sitios, que, de pura de-
bilidad, apenas me deja fuerzas para dormir.

Mañana es sábado y la consulta está cerrada, pero creo que
me levantaré temprano.

Debo ir a ver a don Baltasar.

4

Ayer, en sueños, estuve en Estío. No lo era, naturalmente, o no lo creí al despertar, pero ahora pienso de otra forma: pienso que sí lo fue, quizá precisamente porque era un sueño. Recorrí sus calles –las de Roquedal, o las del Roquedal de mi sueño– y me asomé, de lejos, a su procelosa playa, pensando siempre: así que por fin estoy en Estío. Y allí, en la playa radiante, me aguardaba ella (desnuda, la cabeza rapada, la mirada azul y transparente, a través de ella veías el mar). Su hermosura era una hermosura diferente a todas: como si no fuera de ella, o no solo de ella; como si perteneciera también al pueblo. Su belleza eran imágenes de niños, alegría de niños, juegos a la sombra de los árboles. Y yo le daba la mano a los niños y jugaba con ellos en la plaza, sobre las redes extendidas (niños húmedos, desnudos, plateados de agua y dorados de sol como visiones de Sorolla, infatigables como cardúmenes o alevines blancos echados al pueblo, inquietos, saltarines) y desperté con el regusto purgante de los recuerdos de sol y playa y niños alegres y arenas fuertes y calientes, que son mucho más recuerdos por eso mismo: que son los únicos recuerdos posibles. Y me dije: así que ya estuve en Estío.

Pero después, ya recuperado, el agua fría del lavabo en mi rostro, afeitado y vestido por fin, no lo creí. Algo sí me quedó: un deseo impostergable de volver y creérmelo, un afán de engañarme con el sueño que no me ha dejado en todo el día. Sobre la mesa, mi extraño mecanismo, mi broncíneo mamífero pendiente de la punta de aquella pértiga, el espejito en la otra, se me antojó una realidad imposible, un desertor del sueño, y temiendo algo —no sé, perderlo quizá, o dejar de creerlo del todo— lo guardé en un bolsillo y más tarde, antes de salir, lo envolví en un pañuelo para impedirle un daño irreparable en su extraña inutilidad, como si empezara a pensar que tenía que estar perfecto para seguir sin servir absolutamente para nada.

Y he salido hoy sábado, la consulta cerrada, con el deseo de caminar lejos, irme del pueblo o probar a irme, pero sobre todo de visitar a don Baltasar, el loco.

A la salida de la calle principal, con la carretera invitadora y recta perdiéndose en una loma, hallé a Joaquín, el de las máquinas, con su mono de trabajo con tirantes, boina aplastada y gafas que lo preludiaban (para mí, Joaquín es el hombre de las direcciones, ya que me ayudó a entrar en el pueblo —en Roquedal, no en Estío— y sabía que podía confiar en él), así que me detuve al pasar.

—Buenos días, Joaquín.

—Buenos días, doctor. —Ya me conoce. Cruzamos breves palabras mientras él daba vueltas y vueltas alrededor de un coche viejo y destripado, las ruedas llenas de polvo, ajustando piezas aquí y allá con un trapo grasiento. Su voz diríase que también necesitaba ajustes: habla sin sexo ni edad, como los ángeles, pero suena grotesca en mis oídos. Pobre Joaquín.

—¿Por dónde puedo llegar a la casa de don Baltasar?

—Tire a la izquierda; al final de la carretera verá una granja. Pues justo después, todo recto.

Se mostró como si quisiera llevarme mágicamente con la voz, y casi así fue porque sus indicaciones resultaron exactas. Había allí, donde me dijo, una casa grande, en efecto, aunque no mucho, junto a un descuidado huerto y unos amplios terrenos de cultivo. Los perros ladraban siempre lejos, como prisioneros. La sombra plana del cementerio, el muro gris y breve, se dejaba ver más allá, donde siempre estuvo, bordeando la carretera. Desde aquella distancia no podía saber si las palabras blancas (ETER) seguían allí. Un jardincito con macetas de flores, alborotado por las plantas y enmarcado en barrotes verdes de los que pendían cables con bombillas, me separaba de la entrada verde de la casa. Un perro miraba absorto, incapaz de enfadarse, echado entre las sombras. La puerta estaba abierta y oí ruidos, así que esperé sin cruzar el jardín.

Un hombre apareció por ella enseguida, aunque lento y torpe, sosteniendo una regadera metálica. Llevaba pantalones holgados y marrones atados por una cuerda, camisa abierta, el torso desnudo y sin vello debajo, alpargatas azules calzadas a medias. Era moreno y calvo, y adiviné que fumaba en su respiración agitada, en sus dedos amarillos, y que bebía, en sus mejillas sanguinolentas. Un resto de pelo rizado gris se agazapaba en su nuca y todo lo demás formaba parte de un abrupto bigote y un rastro de barba olvidado de ayer. Tenía los ojos pequeños y negros, pero tan vivos que apenas pude despegármelos cuando se fijaron en mí.

—¿Don Baltasar? —dije.

Me sorprendió su energía, como las olas débiles que nos toman de espaldas:

—¡Váyase, no le necesito!

Y se dedicó a regar las plantas y a murmurar cosas. No las oí pero, al parecer, iban destinadas al perro, porque éste se apartó hacia otro rincón.

Al verle regar me fijé por primera vez en las figuras: eran obras escultóricas, no había duda, pero toscas, como inacabadas. Parecían hechas de barro. Su estatura (no me llegarían a las rodillas) y su simpleza me habían hecho confundirlas con piedras grandes. Era un abigarrado grupo de cuatro muñecos abstractos de rasgos tan azarosos como los que creemos hallar en la forma de ciertas nubes. De no haber visto cuatro juntas y similares, habría pensado que eran productos casuales de la naturaleza, rocas moldeadas al capricho del agua y el tiempo.

Se alineaban dos a dos, a ambos lados de la entrada. Las señalé y dije:

—Son bonitas. ¿Las hizo usted?

Dejó de regar y pareció acaparar paciencia antes de espetarme:

—¿Qué es lo que quiere?

—Soy el médico que sustituye a don Roberto...

—Ya lo sé. ¿Qué quiere?

—Hablar de Estío y Otoño Circular —le dije.

Me miró de nuevo en un gran silencio. Volvió a regar y decidí respetarle. Cuando terminó toda la fila de plantas con absoluta tranquilidad (parecía estar hecho a la pausa, a la espera sin ansiedad) me dio la espalda y entró en la casa. Le oí hablar desde el interior y me acerqué pensando que se dirigía a mí. Un algo en las figuras del jardín (quizá el simple hecho de estar ahí) me quitó el sosiego. Y dentro, en la fresca oscuridad del vestíbulo, el sonido de un grifo abierto en algún lugar y el de su voz, también larga, también continua, incesante:

—Meses, años, siempre, siempre, siempre. Y no paran nunca —decía su voz.

—¿Don Baltasar? —dije. Me sentí ajeno y ruidoso en aquella muerta tiniebla. Ni siquiera el oído me servía: su voz sonaba lejos, en otro lugar, en otro mundo, casi en otro tiempo diferente:

—...y venir siempre y quedarse siempre aquí, aquí, en silencio, buscando siempre...

Pero dejó de interesarme su origen (era la de él, sin duda, que hablaba a solas en alguna parte de la casa) porque hallé unas escaleras fuertes y anchas junto a la entrada, y a sus pies, otra figura similar a las de fuera, firme en la oscuridad. Miré hacia arriba: en el descansillo había otra más, y la escalera persistía. Pensé: ¿migas de pan? Y subí por ella sintiéndome extraño.

Arriba había silencio en reposo sobre un pasillo intocable de polvo. Pequeñas figuras —tres en total— se erguían hasta su mismo fondo como un rastro. A ambos lados, umbrales oscuros con las bisagras desnudas, sin puertas, pero al final no: la última figura se reclinaba sobre una puerta del color de la pared (todo del color del polvo y éste del color de los cráneos en los osarios) con la oquedad de la cerradura abierta como una cuenca vacía. No sé por qué pensé que la posición de la figura instaba a que se abriese aquella puerta. Eso hice.

Dentro no había una habitación oscura: un ventanuco daba algo de luz, tan pequeña como la habitación que sí había. A un lado, junto a la entrada, yacía un camastro desvencijado cubierto de tela de saco y sobre él aparecía un cuerpo inesperado, un susto repentino, una máscara desconocida y vacía. Y lo supe.

Era un maniquí. Una figura femenina y antigua, rota como las paredes, de tamaño natural, más desnuda que la desnudez. Era calva y miraba al techo, quieta, sin manos ni pies, con sus bastos ojos pintados. Lo supe: era ella.

No había nada más en la habitación.

Sintiendo un dolor comprensivo y reconocible —quizá un dolor de compasión, pero no sé por quién—, bajé las escaleras de nuevo y seguí el rastro de la voz que no cesaba:

—… allí, en las sombras, en las sombras últimas…

Como si se supiera seguida, calló de repente. Le hallé al fin sentado de espaldas en la cocina, la regadera en el suelo, el grifo en silencio asomándose, largo y metálico, sobre una pila de piedra manchada por un estrecho reguero amarillo. Se había despojado de la camisa y hundía la cabeza entre las manos, la extensión encorvada de su espalda repleta de lunares tan negros como sus ojos.

—Lo siento —dije.

Lo supe, lo había sabido en realidad aun antes de ver el maniquí, con solo mirar a sus ojos color carbón.

—No he venido a dañarle. —Mi voz era ahora tan suave como la suya, como si hubiera aprendido a hablar en contrapunto con el silencio, como los que están solos—. Únicamente quiero que me explique…

No dijo nada ni le oí gemir, pero un temblor de sus hombros me advirtió de un llorar silencioso. ¿Cuántas veces habría llorado así, a solas, en aquella áspera casa? Me atreví a seguir:

—Usted también la ha visto.

Siguió llorando en silencio.

—La ha visto y la tiene arriba, como una imagen de devoción. No puede olvidarla.

La voz le salió forzada, entre los grumos del llanto:

—¿Y usted? ¿Podría olvidarla?

Reflexioné mi respuesta sintiendo un ligero escalofrío.

—Yo no la vi realmente. No del todo. La percibí fugazmente y creí que era ficticia. Apenas la vi.

Una extraña risa le soltó las palabras:

—Y ahora la busca.

Se calmó tras sentenciarme así. Tosió y jadeó un instante y se incorporó, pero permaneció de espaldas.

—¿Qué… es ella? —murmuré.

Observé que sus hombros moteados se encogían. Se pasó las manos por el rostro que yo no veía.

—Quién sabe —dijo—. Viene de allí, como todas las cosas.

—¿Como los objetos? ¿Los objetos con los nombres de los lugares de origen?

Empezó a contestarme en un tono desafiante y creciente que terminó en un estallido de furia:

—¡Sí, como los objetos! ¡Por todo Roquedal! ¡Es un pueblo pero muchos pueblos! ¡Un lugar y muchos lugares!

—¿Dónde está Estío? —le pregunté.

—¡Aquí! —Su rabia me sorprendió: se levantó de un salto y giró hacia mí, clavándome sus ojos enrojecidos. La silla de madera cayó al suelo con un estrépito sin importancia—. ¡Aquí! —repitió—. ¡Siempre aquí! ¡Si quiere hallarlo, vaya con los niños: ellos lo sabrán! Otoño Circular es privilegio de los más viejos. ¡Vaya con ellos también a las esquinas más oscuras de las casas, a las mecedoras donde se recuestan, a las camas donde agonizan! ¡Ellos lo sabrán! —Gotas de saliva brotaron al final, sin pausa, como sus palabras–. ¡Esto es Estío y Otoño Circular!

Se detuvo y miró hacia el techo, como si temiera que sus propios gritos lo hundieran. Cuando volvió a hablar lo noté más calmado, pero toda su locura estaba ahora allí, como la sangre, subida en su rostro:

–Porque todo… todo es como los planos de una película. Imágenes que aparecen juntas como si fueran una sola, que se funden en una, como si hubiera solo una, pero diferentes entre sí. Todo son planos, ¿me comprende? Roquedal es la sala donde… –Hizo un gesto con la mano y sopló a la vez, como un mago–… se proyectan.

–¿Mundos distintos en un solo mundo? –dije.

–Ni siquiera eso: planos distintos. No se detienen nunca. Nosotros pasamos de uno a otro sin saberlo: es posible que ahora estemos en Estío, usted y yo, y no lo sepamos.

–Y los objetos…

Juntó sus manos como si fuera a rezar.

–Un *sedimento*: eso son los objetos. Yo lo comparo al mar y a los recuerdos: ambos acumulan cosas sin cesar, objetos inútiles, más o menos bonitos, amontonados ahí, en la orilla o en la mente, que solo sirven para ser contemplados. En Roquedal están los posos de la vida, la borra última del continuo fluir de los planos.

–¿Y por qué el nombre de Estío y de Otoño Circular?

Me miró como si necesitara de toda su paciencia para explicármelo:

–Son como los nombres de infancia y vejez: delimitan dos etapas diferentes del transcurrir de nuestra existencia. Es posible que haya más estados distintos, probablemente incontables, pero son difíciles de nombrar: ¿podría usted bautizar cada momento diferente del mar?

Se puso a canturrear de improviso, muy suave. Era casi una canción de cuna. Solo se detuvo para decir:

–Incluso las casas cambian, se vuelven de repente el recuerdo de lo que fueron. También el cementerio…

—¿El cementerio? —me estremecí.

—El cementerio es el último de los misterios. En él, los planos fluyen en un estado diferente.

Mi boca estaba seca cuando dije:

—Se llama Eter, ¿verdad?

Me observó con cierta sorpresa. Una sonrisa débil le iluminó el rostro.

—Sabe usted muchas cosas. ¿Desde cuándo vive aquí?

—No llevo aún una semana.

—Pues es curioso. —Se acarició las mejillas como si estuviera pensando en afeitarse—. Claro que los que vienen de fuera se enteran siempre más rápido de todo.

Y siguió canturreando en un diapasón casi inaudible, como para sí mismo.

—¿Y ella? —pregunté entonces.

No me respondió: simplemente desvió la mirada y continuó cantando entre murmullos.

Me acerqué al pobre viejo: una rabia llena y repentina me vino a la boca, como un trago de bilis:

—¿Y ella? —exclamé—. ¿Y ella? —volví a decirle.

Su canturreo me pareció insoportable: le aferré de los brazos (aún tersos, aún fuertes) y le grité en la cara como si fuera de cristal y quisiera rompérsela con mis pulmones:

—¡Hábleme de ella!

Pero se me venció sin responder, como algo inanimado, aún tarareando suavemente, mirándome con ojos apagados, negros y apagados como sus propios lunares. Se dejó empujar en silencio, torciendo la boca para sonreír con lentitud, como si ese único gesto, realizado al fin, fuera superior a toda mi violencia, y ni siquiera le importó golpear flácido contra la pared, y permaneció allí, adherido a ella como si fuera de pasta, todavía sonriente, todavía mirándome, todavía inquietamente cantarín. Me dirigí al vestíbulo y salí de la casa, al sol llano del mediodía.

«Y ahora la busca», le he oído decir muchas veces.

Y lo había dicho como si yo estuviera maldito, como una evidencia irrevocable, no tanto como una condena sino como algo que había existido siempre en mí, pero externo a mí, rodeándome grande e invisible; un cuerpo —no mi cuerpo pero también mío— que me contuviera y desde el que yo mirara todo lo demás sin verlo a él, sin saberlo envolverme, pero visible para todos (salvo para mí, repito, que me hallo dentro).

No me importa: durante la tarde he escrito esto y he pensado en las figuras de piedra de don Baltasar: esas señales que conducen a ella, esas esculturas que él mismo ha hecho y que por un instante me parecieron rocas horadadas al azar por el agua. ¿Quizá un itinerario señalado en la playa?

Se hace de noche. He de bajar a la playa y comprobarlo.

5

Ahora sé que estoy maldito. Pero he descubierto algo: la catástrofe de la maldición tiene algo de triunfo, de destino cumplido; es un círculo de deseo que se cierra. No cae sobre mí: yo soy el que caigo y me rompo justo por las fisuras invisibles (pero mías) con las que nací adherido. Yo soy mi maldición porque fui inevitable.

Escribo esto a ciegas, sin lámpara ni luz, en una madrugada fría. Son mis últimas páginas, aunque de alguna manera sé que nada está terminado, que me marcharé de Roquedal sin marcharme, porque Roquedal es inmenso y no puedes ir hacia nada que no sea él. Sabias palabras las de Marta, pero apenas (irónicamente) sabe. Nadie sabe salvo yo, que aprendí pronto. También sé el porqué de mi ventaja: Mariela, tú tienes la culpa. Me dejaste en una soledad incomparable. O quizá he sido yo mismo, al dejarme tú, pero en parte tú también, que no lo hiciste del todo. Me dejaste pero te quedaste ahí, postergable, como obligándome a seguirte. Estoy enfermo (ya lo sé) pero eso, quizá, también es una promesa cumplida.

Y he ido, por fin, a la playa.

Esperé hasta la noche de hoy mismo (quizá ya de ayer) y salí de la casa azul sin temor a la vigilancia de Rosa (sin temor a nada dentro de mí, pero con un temor apostado en la lejanía, como un faro terrible) y bajé a la playa. Atravesé el terraplén y los árboles a oscuras y reconocí, pese a ello, el lugar donde Rocío se sentó ayer y me dijo que no me acercara al cementerio de noche (no lo quiero hacer, quién sabe, quizá algún día sí, pero ahora no quiero: aún no me considero capaz de entrar en ese estado); crucé la dormida carretera (una lengua gris, muerta, vacía) y me hundí en las dunas de arena de la playa, plateadas por una luna creciente (más allá, en la oscuridad, el estruendo de un mar invisible, negro). Pensé: por fin cerca del mar. ¿Por qué había tardado tanto? Esto le otorgó a mi llegada un cierto sentido de coronación.

Y allí estaba el rastro de piedras, o por lo menos así lo creí. Paralelas a la orilla, formando una alargada línea que se perdía en la noche (también, arriba, las estrellas habían aparecido completas y ordenadas en curiosas líneas). Llegué hasta ellas, divisé apenas el mar, su espuma residual, secretamente blanca como los huesos en las radiografías, ensordecedora, y comencé a seguir aquel rastro que preferí no imaginarme azaroso.

Acababa (pronto lo supe) en un espigón, un brazo de rocas oscuras que se introducía en las olas, chorreante de espuma, el fósil de un cetáceo. Y el rastro de piedras terminaba en su comienzo.

Y allí me aguardaba Rocío.

Era ella aun antes de serlo: una silueta lejana (pero ella) que poco a poco tomó sus formas. Vestía una simple pieza blanca (la falda apenas cortando el inicio de sus muslos y estirada por la violenta brisa) y sandalias. El pelo se le amasaba en el rostro sin molestarla. Me miraba acercarme y mirarla.

—Hola —dijo—. Has venido.

Lo dijo como si aquello no fuera un cita sino un suceso, como el crecimiento de las plantas o el paseo de los depredadores al anochecer. Un algo observable y distinto que en nada cambiaba el orden de las cosas.

Me precedió al entrar en el espigón, caminando con equilibrio, sin aguardarme. Pero no había prisa en su gesto: de nuevo era un mundo de sucesos posibles, una reacción suave, sin meditación pero sin brusquedad, como la lluvia al humedecer el suelo. Y la seguí, siempre viéndola marcharse, pero esta vez siguiéndola, su espalda erguida, sus piernas blancas.

Don Baltasar tiene razón: vamos de un plano a otro diferente sin percibirlo. Pero nunca somos los mismos, aunque tampoco lo sepamos. La vida está formada por ellos: infinitos planos, imágenes continuas, cambiantes... En Roquedal la diferencia estriba en que cada plano es una vida distinta, inabarcable también. Y por ello a veces se produce una superposición: algo, un objeto, una persona (sí, una persona, un ser), se funde con otro y resalta, impresiona nuestros ojos como la convergencia de imágenes dobles. ¿Sabría Rocío esto y por eso me ordenó que no la siguiera, ni siquiera aunque ella misma me lo pidiese? Recordé aquella advertencia y me detuve repentinamente.

Ella, delante, cada vez más, se detuvo también y se volvió hacia mí. Apenas pude ver su cara entre la sombra de las olas cuando me gritó:

—Ven.

Y siguió avanzando. La obedecí (ahora lo sé) porque lo intuía. Y porque estoy maldito. Cuando la oscuridad completa la absorbió, su vestido blanco me ayudó a no perderla, y cuando de repente la perdí, en un momento de vacilante confusión, supe que estaba desnuda.

Seguí lo que ya era tan solo la sombra de su carne. Las rocas, resbaladizas, húmedas, estruendosas, detenían mi marcha. A mis pies, de repente, sobre una de ellas, su vestido blanco, como una medusa muerta. Más allá, como reacias a seguir, sus sandalias (figuras de piedra, rastros, migas de pan) y aún más ella, distinguible y concreta a pesar de su absoluta desnudez, como si su cuerpo fuera más intenso que su propia silueta, avanzando todavía hacia la punta del espigón, donde sombras y olas se agolpaban.

—Rocío —la llamé.

Pero siguió incólume su lenta (firme) marcha hacia aquel estrépito final. Y antes de que la oscuridad la envolviera del todo la vi despojarse de una última cosa que arrojó a las piedras mojadas, frías por el mar y la luna, frente a mí (¿lo sabías, pobre Rocío, y por eso no querías que siguiera tu sola figura?). No me sorprendió. No tuve que mirar (aunque lo hice) para saber lo que era aquel objeto final, enroscado, enredado en las piedras, aquellos cabellos rubios castaños, el último resto del disfraz.

Y supe con certeza quién me aguardaba en realidad, allí en las sombras.

NOTA FINAL DEL EDITOR: Aquí finaliza el manuscrito original. Como se sabe, el cuerpo sin vida de don Marcelino Roimar Ruiz, de treinta y cinco años de edad, médico sustituto de don Roberto Torres Berastegui, fue hallado el pasado verano en la playa de Roquedal, aproximadamente dos semanas después de su llegada al pueblo. Se determinó el ahogamiento como causa de la muerte. Las conocidas tendencias depresivas del fallecido, acentuadas tras su separación conyugal, hacen pensar en la posibilidad de que su fin fuera voluntario. Estos papeles se hallaron, íntegros, en la casa de Roquedal donde residió.

EL DETALLE

He hecho imprimir varios ejemplares de esta obra por si fuese de interés para el público. Aunque describo en ella acontecimientos reales que tuvieron lugar en mi pueblo hace diez años, he decidido contarlos siguiendo el patrón clásico de las novelas policíacas, con el propósito de entretener al siempre paciente lector. Por ello advierto desde esta nota preliminar que, bajo ningún concepto, se lean las últimas páginas antes de llegar al final: al igual que ocurre con la primera noche de amor, la resolución de un misterio requiere también del placer de esperar.

B. P.
Roquedal, enero de 1997

1

MUERTE DE JACINTO GUERNOD

Entre abril y junio de 1987 la peculiar investigación de dos ase-
sinatos ocurridos en nuestro pueblo me mantuvo sumamente
ocupado. La policía no practicó detenciones ni contaba, que
yo sepa, con ningún sospechoso, así que tuve que encargarme
personalmente del caso. Tras una ardua y esquinada (más tarde
explicaré lo que entiendo por este término) labor detectivesca, mis naturales dotes, incrementadas por la experiencia, me
llevaron primero a descubrir y después a capturar al escurridi-
zo asesino y entregarlo sin demora a la justicia. He aquí la crónica, lo más completa posible, de los hechos tal como yo los
recuerdo. Tenga en cuenta el indulgente lector que han trans-
currido diez años, plazo que yo mismo me concedí para dar a
la luz pública el caso, y que mi memoria, como mi perro, se
resiente cada vez más del inexorable paso del tiempo y a veces
no me es tan fiel como sería deseable.

Todo misterio requiere un comienzo, y el de éste, que no
lo fue menos en ningún aspecto, tuvo lugar el día 8 de abril
de 1987 a las 12.45 de la tarde, cuando murió Jacinto Guernod.

Repasando las notas que yo mismo tomé sobre la investigación, leo lo siguiente:

Martes, 8 de abril. Hoy ha muerto Jacinto Guernod, el dueño del taller de recambios Guernod situado a la salida del
pueblo.

Investigar apellido. Qué apellido tan raro: Guernod.

Esta mañana, según testimonio familiar, se levantó mareado y no fue al trabajo. A las doce menos diez vomitó gruesas hilachas de sangre. A las doce y cuarto su panza se hallaba tensa como pellejo de tambor. A las doce y veinte, el doctor Torres, que había decidido en un primer momento su traslado a un hospital de la ciudad, cambió de opinión al comprobar la desesperada situación del enfermo.

A las doce y cincuenta, exactamente cinco minutos después de su muerte, supe que había sido asesinado.

Recuerdo bien ese día. Todos los días se parecen entre sí, como todos los hombres, salvo en un aspecto o dos, y yo recuerdo bien las diferencias de aquel día. Hubo nubes plomizas hacia el sur flotando sobre el mar y una brisa contradictoria que agitaba los faldones de mi chaqueta, o más bien la discusión entre dos brisas opuestas. Otra interesante coincidencia fue mi decisión de pasear en dirección al pueblo en vez de hacerlo hacia la carretera, el bosque o el cementerio, como en días previos. Escogí el lado izquierdo del arcén (previsora medida que siempre tomo) y caminé con toda la lentitud de mi bastón hacia las primeras casas, el sombrero bien encajado en la cabeza, el pañuelo perfecto albergando mi cuello, una camisa limpia y una cuerda nueva atando mis pantalones de pana. La flor en la solapa, por supuesto, completamente marchita.

Cuando pasaba frente al taller de Guernod me asedió el afeminado de Joaquín, el subalterno.

—Don Baltasar, buenos días.

—Buenos días, Joaquín.

—¿Sabe que don Jacinto se está muriendo?

Por norma general, no suelo prestar mucha atención a los comentarios que me dedica la gente cuando voy por la calle, mucho menos a los de individuos como Joaquín el del taller: es imposible escuchar con respeto a un ser humano voluminoso, redondo y sucio como los neumáticos que siempre lleva bajo el brazo, con la voz estropeada de una vieja y la sonrisa torpe y constante, hecha para enfadar. Pero en aquella ocasión tuve a bien detenerme y observarle, tras ajustarme con un rapidísimo gesto el clavel de la solapa.

—¿Don Jacinto? —inquirí.

—Que sí, que sí. Se ha puesto malísimo esta misma mañana. Todo el mundo se ha ido a su casa.

Yo derrochaba mi mirada sin pestañear en sus ojos bizcos triplicados por las gafas: suelo observar atentamente a mi interlocutor cuando me cuenta algo que considero de interés. Ensuciaba él mientras tanto un trapo menos negro que sus manos, y todo el mofletudo rostro le brillaba de betún.

—En fin, será lo que Dios quiera —añadió sin pizca de pena; su voz de alcahueta me ponía nervioso.

—Sí, será lo que Dios quiera —dije y seguí mi camino, al tiempo que oteaba el cielo.

Tengo escrito en mis notas sobre el caso:

> Dos vueltas espirales y una negra oquedad central, como un moño de bailaora (?) o el humo fosilizado de un incendio del paleolítico (??): ésa es la forma que adoptaron las nubes esta mañana.
>
> Investigar por qué. Descubrir relaciones.

Casi siempre continúo pendiente abajo por la calle Principal hasta las casas azules de la playa, doy la vuelta y regreso por el mismo camino o me detengo a tomar un poleo en el bar de la Trocha, pero aquel día decidí de buenas a primeras torcer por la primera esquina a la izquierda, la de los ultramarinos Pereda, y seguir por Barracón hasta las proximidades de la casa de Guernod. No me había mentido el mariposón de Joaquín: el portal de los Guernod se hallaba concurrido. Distinguí, de un primer vistazo, a Jorge Blázquez, vecino y amigo de Jacinto, al farmacéutico Juan Hernández, a Remigio el del puesto de chucherías y a la señora

Aurora, muy bella siempre. Me conmovió observar también a la señorita Bernabé, asomada a la puerta del otro lado de la calle (vive enfrente), su bondadoso rostro expresando genuina preocupación. Iba y venía del portal de Guernod como un correveidile el astuto de Alberto Gracián, suplente irregular de Marta la ATS. Gracián murió por causas naturales (linfoma) hace ahora dos meses, y eso es lo único que me impide ofenderle como se merece en esta crónica: baste decir de tan sapiente enfermero que gracias a su influencia a punto estuvo el doctor Torres de promover mi ingreso vitalicio en un hospital. Las notas que tomé sobre el caso, sin embargo, quedan exentas de la obligación de respetarle, ya que fueron escritas mucho antes de que falleciera. Cito textualmente:

La culebra de pantano, la víbora de cara enrojecida de Alberto Gracián, se enroscaba entre los presentes.

—En cinco minutos tengo el coche listo y puedo llevar a Jacinto al hospital, Juan —le decía a Hernández en ese momento, no se cansaba de decirlo—. En cinco minutos puedo llevarle al hospital, que lo sepa el doctor Torres...

Se me ocurre al respecto esta estrofa:

Los Judas siempre están dispuestos a dar besos.
¿Será por eso que sus labios son tan gruesos?

Los labios de Gracián lo son, sin duda.

No añadiré nada más, por respeto a su memoria.

En un santiamén me deslicé entre el público que abarrotaba el portal y entré en el vestíbulo. Juan Hernández, el farmacéutico, se interesó por mí:

—Don Baltasar, no se quede en la entrada por si hay que sacar rápido a Jacinto...

—Pobre hombre, pero qué daño puede hacer —me defendió la señora Aurora, también a mi espalda—. Déjelo.

—No es que haga daño —replicó el farmacopola—, es que si se queda en la entrada y hay que sacar a Jacinto a toda leche, ya me dirá lo que puede pasar…

La conversación no me interesaba y penetré en la casa. Caminé por un oscuro corredor y percibí llantos y luz al final, a la derecha. «Primera pesquisa: suelo sucio y telarañas en las esquinas», anoté en mi cuaderno esa noche. Recordaba perfectamente aquel detalle.

En la habitación en la que entré —un dormitorio— había otras personas que al principio se disgustaron con mi presencia, pero un salto del moribundo les distrajo la atención y dejaron de preocuparse por mí. El doctor Roberto Torres se hallaba de pie en mangas de camisa, próximo al vientre de Jacinto; sostenía una bacinilla donde espumaba un caldo sanguinolento que contemplaba con suma concentración. «Zapatero a tus zapatos —pensé—, o cada cual a lo suyo.» Junto a él, una sombra arrugada y gemebunda palpaba meticulosamente las cuentas de un rosario diminuto: la madre de Guernod, la conocía bien. Remedios, su esposa, era aquí el correveidile e iba y venía de la habitación con diversos objetos, un vaso de agua, una cuchara, un pañuelo. Me pareció que se había tomado la agonía de su marido como una faena doméstica, algo así como poner la mesa para varios invitados. Había también dos pequeñas criaturas en un rincón, repletas de ojos y curiosidad, cuya única función, según deduje, consistía en generar alguna clase de controversia para aliviar el malestar de todos:

—¡Llévense a estos niños de aquí, por Dios! —decía uno.

—Eso lo tienen que decidir los padres —replicaba otro.

—Son los sobrinos de Jacinto —intervenía un tercero en voz baja.

—¿Y qué? ¿Es que tienen que estar aquí por fuerza?

—No queremos irnos —sentenciaba la niña, la más pequeña, una encantadora criatura de rizos morenos.

—A quien habría que llevarse —interrumpió el doctor Torres de repente con su impecable pronunciación castellano-manchega y su terso tono de voz– es a este hombre, y al hospital, pero…

No terminó la frase y nadie le ayudó a terminarla. Imponía un gran respeto ese «pero». Hasta la vieja detuvo las jaculatorias un instante. El vacío tras ese «pero» era el absurdo.

Dejé de prestarles atención, me quité el sombrero respetuosamente y me acerqué a Guernod, dedicándome a contemplar sus esfuerzos por convertirse en cadáver.

Sabido es lo difícil que resulta morir en la cama: se calienta la piel, se sufren espasmos cólicos, se suda, se pierde y recobra la conciencia, se delira, se cometen mil obscenidades, se soporta la compasión como un mal veneno. Había que reconocer que, para la vida tan superficial que había llevado, Jacinto Guernod no estaba componiendo una muerte demasiado mediocre: boqueaba como un pez fuera del agua y contemplaba el techo con ojos admirados, como si las grietas de cal formaran un hermoso fresco renacentista. Parecía afligido por una lucha en la que alguien muy querido por él –pero no él– iba perdiendo. «Segunda pesquisa –anoté más tarde–, imperceptible balanceo de la cabeza sobre la almohada que se correspondía con giros simétricos de los globos oculares. Una barca a la deriva. Y su mujer, Remedios, arqueaba las cejas continuamente. No es éste un detalle importante, sin embargo: lleva así las cejas desde que la conozco. Lo que me sorprende es que no haya sido capaz de modificar su expresión de costumbre ni siquiera frente a su agonizante marido… ¡Ah, los detalles!»

Conocía bastante bien a los Guernod. En Roquedal llamaba la atención su apellido, luego supe que el padre de Jacinto era francés. Se habían establecido en el pueblo a principios de los años sesenta: Jacinto, su mujer, su madre y su hermano más joven con su propia familia. Jacinto no había tenido hijos. Compraron un viejo almacén a la entrada del pueblo y lo transformaron en el primer gran taller de reparación de automóviles de Roquedal. Más tarde, el taller se prolongó con una pequeña tienda adyacente de venta de recambios para el motor. Jacinto trabajó duro y bien al principio, tuvo un operario, dos, después cuatro, y dejó de trabajar duro y bien. La riqueza y el ocio le acercaron a la bebida: bebió tanto o más que todo lo que había sudado en la vida. Era sabido que Remedios, a la que apodaban «la china» no solo por sus cejas arqueadas sino también por sus pequeños y lineales ojos, soportaba mal sus tremendas borracheras, en las que terminaba insultándola, incluso amenazándola, porque pensaba que se la pegaba con otros. Jacinto ya había tenido un patatús previo a causa del alcohol, y había sido ingresado en un hospital de la ciudad, pero a pesar de que el doctor Torres se cansó de prohibírselo, en su casa nunca faltaron las cervezas. Cuando el vino empezó a envasarse en cajas de cartón –¡triste ejemplo de este siglo de atrocidades estéticas!–, se cuenta que Guernod compró una docena a Pereda, el de los ultramarinos, diciéndole, por broma: «El doctor Torres me hizo jurar que en casa no entraría ni una sola botella, ni siquiera de gaseosa». Eso era parte de lo que todos sabíamos sobre Jacinto.

Dejé de contemplar el combate de Guernod contra su propio dolor para revisar atentamente la habitación. Un par de detalles previos –las nubes tórpidas sobre el mar, el polvo acumulado en las esquinas– me tenían inquieto. Decidí investigar esquinado.

Es hora de explicar lo que entiendo por dicha expresión. En un cuaderno muy anterior a estos sucesos escribí:

> Investigar esquinado. Captura de los detalles con el reojo. Lazo visual para apresar pájaros imposibles que se posan un tiempo indeterminado en el alféizar de la atención. [Tachar lo previo. Muy cursi.] Observación paciente de aquello que nunca sucede o nunca termina de suceder. Espionaje de la vida.
>
> Si uno se lo propone, puede ver crecer las hojas de un árbol.

Mi afán de cultura me lleva a rastrear la bibliografía: los hindúes dicen que la naranja está ya en la hierba o se halla a punto de caer de la rama, pero que nunca la vemos caer. Sin embargo, investigar esquinado es ver caer la naranja.

Pasé por alto los detalles preliminares: espacio no demasiado reducido para un dormitorio, ventana con postigos y visillos, lámparas en el techo y en la mesilla de noche, dibujo a tinta de la Virgen del Gato de Roquedal en la cabecera, bajo un crucifijo grande, diez personas en la habitación —el moribundo no cuenta—, dos de ellas niños, otras dos ancianos, el resto edad intermedia, la mitad llorando, los demás no. Los que no lloraban: el doctor Torres, Remedios «la china», esposa de Guernod, los dos niños y yo —el moribundo no cuenta—. Eso era el anecdotario de costumbre, el racimo de eventos innecesarios.

Ahora bien, sobre la mesilla de noche se alineaba un pequeño escuadrón de fotos antiguas de diversos tamaños, enmarcadas y orladas por el vaho de los viejos clichés. Todas mostraban al mismo niño: el niño con sus padres, el niño con sus abuelos, el niño de primera comunión, el niño en solitario. Guernod, sin hijos, se había refugiado en la contemplación de su propia infancia. Junto a los retratos había dos rosas: una se ocultaba entre los marcos, la otra mostraba el laberinto de los pétalos.

Me estremecí. Era difícil no darse cuenta, incluso sin la investigación esquinada. «Un manojo de retratos del niño Guernod y dos rosas. En la rosa de la derecha advierto las mismas anfractuosidades que tenían las nubes esta mañana —escribí después—. En cuanto a los retratos…»

Consulté la hora en mi antiguo reloj de cadenilla: las 12.25. El hermano de Guernod, que acababa de llegar, explicaba a los presentes las distintas aventuras del moribundo:

—A las doce o un poco menos le dieron unas arcadas y echó sangre. Ya esta mañana se había levantado mareado y no fue al trabajo, pero cuando le vimos vomitar sangre avisé al doctor. A las doce y diez le repitieron las arcadas, pero esa vez secas. Desde entonces no ha vuelto a hablar, el pobrecito. Cuando parece que va a hablar le da otra arcada.

–Pues que no hable más, pobre hombre –dictaminó un compasivo vecino.

«Los retratos me traen a la memoria mis propios recuerdos infantiles», anoté esa noche. Uno en particular me parecía muy relacionado con todo lo que estaba sucediendo.

Yo tenía cinco años, puede que seis. Me dolía espantosamente el oído izquierdo, y mi madre decidió que era a causa de una bola de cera, por lo que un día preparó una escudilla y una pera de goma y me soltó un chorro a presión de agua tibia dentro de la oreja. A la escudilla cayó, en efecto, un trozo de cerilla retorcida, del color del hierro oxidado, pero no solo eso. También había un pequeño insecto de larguísimas patas. Como fui el primero en verlo, mi madre no pudo ocultar la escudilla a tiempo. En realidad, se trataba de una araña muerta, de esas que trajinan entre el polvo, inofensiva pero repugnante. Era de suponer que se había introducido semanas atrás en mi oído izquierdo y había muerto lentamente de inanición al ser incapaz de encontrar la salida. Su espantosa agonía, sin duda alguna, había sido la causa de mi dolor.

Esta anécdota, en apariencia banal, me enseñó la primera lección profunda sobre la vida: existen pequeñas sutilezas que actúan invisibles a nuestro alrededor, y son, sin embargo, trascendentales; amenazas ocultas que hilan fino en nuestro interior; procesos subterráneos, detalles horrendos enterrados como filones protervos bajo nuestros pies, inaccesibles a la percepción normal, que deciden como las parcas los destinos cotidianos. Estos detalles, como ya he dicho, pueden extraerse con la investigación esquinada.

En aquel instante, recordando mi experiencia infantil, pensé: «¿A qué se parecen los recovecos de una oreja? ¡A las espirales de las nubes y a los pétalos de una rosa!».

Quizá habría llegado a sorprendentes conclusiones de no haber sido interrumpido bruscamente por unos gritos y la voz imperiosa del doctor Torres:

—¡Bueno, salgan de la habitación! ¡Todo el mundo fuera! ¡Ya está bien, hombre, ya está bien...!

Los gritos de los presentes se habían debido a un nuevo terremoto del agonizante Guernod, acompañado de un jadeo lobuno, y el buen juicio de don Roberto decidió que ya habíamos tenido suficiente espectáculo.

Los niños (siempre remisos cuando se trata de perderse una escena morbosa) fueron arrastrados fuera por su padre, el joven hermano de Jacinto; Remedios «la china» y la vieja (aferrada al rosario) salieron acompañadas por otros vecinos a más velocidad de la aconsejable para sus respectivos papeles; el público inició un lento éxodo y se congregó en la puerta, como a la salida de los cines. Yo quise demorarme:

—Doctor Torres... —rogué, volviéndome hacia don Roberto.

—Venga, venga, don Baltasar —me palmeó la espalda sin demasiada paciencia—, no moleste usted ahora, que no es de la familia, hombre. ¿Siempre tiene que estar presente en todas las tragedias?

—¿De qué se está muriendo? —inquirí, decidiendo ignorar sus críticas.

—Del hígado. Venga, vamos. ¡Salga fuera, hombre!

Iba yo a contarle mis terribles sospechas cuando Remedios «la china» volvió a entrar, arrebujada en su rebeca gris, con los guiones de los ojos diluvianos.

—¿Y si le lleváramos al hospital, doctor? ¿No se podría? ¡Mire que don Alberto dice que en cinco minutos...!

—Mujer, Jacinto está agonizando. ¿Dónde prefiere usted que ocurra lo que tiene que ocurrir?

Les dejé solos. El pasillo se hallaba tapizado de personas que se dirigían a la calle o esperaban, apostadas, algún acontecimiento, y aunque varias me miraron con curiosidad no era yo el centro de atención en aquel momento, así que me di el lujo de hablar en voz alta, como hago en la soledad de casa:

—¿Del hígado?… ¡Es un asesinato, hombre! ¡Y nadie se da cuenta…! ¡Es un asesinato!

Decidí esperar fuera, en la acera. El tiempo se arrastró con la terrible pereza que suele manifestar cuando deseamos fervientemente que transcurra. A las 12.45, por fin, estallaron dos gritos gemelos. Así lo tengo descrito:

> 12.45. Aullidos tan salvajes que al pronto no lo parecen. Sin embargo, todos estábamos esperándolos.
>
> Salió del portal Remedios «la china» presa de un ataque de nervios y gimió palabras incomprensibles. Detrás escapó la vieja (aferrada al rosario) como un alma en pena, y fue toreada por los vecinos hasta recaer en su otro hijo, el único que le quedaba ya. La contuvieron varios voluntarios. Entonces apareció por el portal Jacinto Guernod.
>
> Venía dando tumbos, como corresponde a los muertos, y más pálido que el papel en el que escribo, más, aún más que las lápidas anónimas de la guerra civil que conviven juntas en el cementerio, más que todas las paredes blancas de las casas cuando destella el verano. Su palidez sonaba a grito y tenía la forma y el aspecto de un vendaje sobre una herida putrefacta o un gusano cebado de cadáveres. Me miró fijamente con ojos que ya no veían y dijo:
>
> —Don Baltasar, hombre, me han asesinado. Pero solo soy el primero. Después vendrán otros…

Claro está que en realidad no vi a Jacinto Guernod ni escuché aquellas palabras, pero bien hubiera podido ocurrir así, y si así hubiera sido, ningún listo habría sido capaz de discutirlo: los hechos son imposibles justo hasta que suceden, de igual forma que los niños son niños hasta que llegan a la pubertad, y no hay más que hablar. Pero, para qué mentir, no vi a Guernod. Al menos, no en aquel momento. Después, por la noche, me entraron ganas de haber tenido alguna clase de visión, y escribí eso.

Lo que sí hice en cuanto la mujer y la vieja salieron gritando fue aprovechar la confusión para colarme otra vez en la casa y dirigirme al dormitorio. Como ya tenía el sombrero en la mano, no tuve que quitármelo de nuevo. Junto a la puerta del dormitorio vi al doctor Torres y al hermano de Guernod, que había entrado antes que yo, y ahora lloraba a moco tendido.

He observado que, siempre que llora un hombre, al menos aquí en Roquedal, hay silencio. El llanto de una mujer desata palabras de consuelo, razonamientos o meras exclamaciones, pero el llanto de un hombre se escucha con más fervor que una saeta. Así que el hermano de Guernod lloraba y el doctor Torres no le decía nada.

Me acerqué al muerto Guernod y, de repente, me sentí, como él, invisible. A salvo del interés de los demás.

Existe un momento de neblina en el que pasamos completamente desapercibidos aun para nuestros seres queridos: ocurre un poco después de morirnos pero un poco antes de que hayamos muerto. Y quien sospeche contradicción, que advierta que no es lo mismo morir que ser cadáver, de igual forma que no lo es nacer que ser hijo de alguien: hay un ser que nace y que después es hijo y un ser que muere y que después es un muerto. Pero durante esta última transformación transcurre un lapso de tiempo en el que, invariablemente, caemos en el punto ciego de los demás y nadie nos percibe. Los demás lloran por aquello que ya se ha marchado pero aún son incapaces de contemplar lo que queda. En ese limbo se hallaba Guernod: aunque ya había muerto, todavía no era *cadáver*, y por lo tanto nadie lo miraba. Su invisible presencia envolvió la mía y pude contemplarle a gusto sin ser incordiado.

Desde luego, Jacinto no estaba en su mejor momento. Un ojo lo tenía abierto y el otro casi cerrado, pero el aspecto del primero hacía preferir, con mucho, la estética del segundo. La boca, por espantosa simetría, se abría bajo el ojo abierto y se cerraba con el otro. Por entre los labios separados le corría en hilillo uno de esos productos orgánicos que solo aparecen cuando reventamos. Su piel poseía el tono tostado del estiércol de vaca, color que se reforzaba en la esclerótica del ojo abierto con una insidiosa variación como de limones triturados. Se agarraba a la cama con ambas manos, como si se hallara colgado del techo bocabajo y dependiera de ellas para no caerse. Todo lo que no era cabeza o brazos era barriga; es verdad que siempre la había tenido, pero ahora resultaba notoria, obscena, gestante; daba la impresión de que podía estallar si se la pinchaba: quizá fuera una impresión correcta. La camisa, cuyos botones se hallaban tensos en la cúspide del vientre, estaba estampada en sangre y bilis, pero a mí me dieron más pena unas antiguas manchas de café que advertí en su manga izquierda. El resto del cuerpo, innecesario, estaba cubierto por las sábanas.

Observé de nuevo la pléyade de retratos de cuando era niño en la mesilla de noche y el repujado íntimo, vulvar, de la rosa semimarchita.

Ya no albergaba ninguna duda.

Iba a salir de la habitación cuando, de improviso, el último acontecimiento se desarrolló ante mis ojos. No hubiera sido estrictamente necesario que sucediese, pero reforzó de manera notable mis sospechas. Cuando finalizó –fue rápido y espeluznante–, me calé el sombrero, empuñé el bastón y salí de la casa silbando una vieja cancioncita de guerra que mi abuelo me había enseñado de niño, haciéndomela repetir hasta la saciedad. Esa noche concluí las notas de mi cuaderno con estas frases:

Así que, por fin, nos hemos visto las caras tú y yo. ¿Qué víctima escogerás ahora? ¡Ah, pero yo, que te conozco, lograré atraparte antes de que causes una nueva desgracia! La suerte está echada: ¡Dios decidirá quién de los dos debe ganar!

Cuando me alejaba de la casa pensé que tendría que haberme fijado con más detenimiento hacia dónde se dirigía la espantosa araña que había visto escapar de la oreja izquierda de Jacinto Guernod hacía tan solo unos instantes.

Pero ya habría tiempo para eso.

2

ÚLTIMOS DÍAS DE
MARÍA AUXILIADORA BERNABÉ

Una semana después del Viernes Santo, dos si contamos desde el asesinato de Jacinto Guernod, fue asesinada María Auxiliadora Bernabé, lo cual constituyó una enorme tragedia. Naturalmente que habría podido evitarse (así pasa con todas las tragedias; las inevitables se llaman «fatalidades»), pero la interesada desoyó mis advertencias y yo anduve demasiado torpe a la hora de actuar.

Es verdad que mis advertencias resultaban difíciles de creer, más aún de explicar, pero no lo es menos que mi estado de nervios me impedía ser excesivamente sutil: me había pasado tres noches seguidas a la intemperie, tras el entierro de Guernod, vigilando su casa desde una esquina para sorprender a la araña en cuanto saliera. Mi instinto me decía que el horrible bicho no iba a escoger la luz del día para escapar: los asesinos de esa estampa, por norma general, prefieren ampararse en las tinieblas nocturnas a la hora de realizar sus fechorías.

De este modo, decidí aguardar en la esquina de la calle Barracón, que da a la casa de Guernod, en cuanto el alboroto del entierro hubiera finalizado. Elegí aquella esquina y no la siguiente por varias razones: la más obvia era que la calle Cruz, que es la que da al portal de la casa, baja en pendiente hacia la playa, así que, si me colocaba en el lugar más alto, podía abarcarla perfectamente; otra buena razón era que la casa contigua a la de Guernod por aquella esquina estaba deshabitada, así que no tendría que temer la curiosidad de los vecinos de ese lado; en último lugar, la esquina de Barracón me protegía del caprichoso viento del mar, que iba y venía a su antojo por Cruz, cosa siempre importante para quien, como yo, usa sombrero. Tengo que felicitarme por el plan, aunque desgraciadamente, ay, no a largo plazo.

Reconozco que la primera noche casi me dormí, se me doblaron las rodillas y necesité sujetarme al canalón cercano más de una vez para no caerme allí mismo. Me asaltó la terrorífica duda de que la araña hubiese escapado durante mis momentos de desmayo, pero la conjuré con este sencillo silogismo: si había ocurrido así, ya no tenía remedio, por lo tanto era inútil pensar en ello. Al día siguiente tomé la precaución de dormir bien por la mañana para mantenerme despejado por la noche, y ya no volvió a vencerme el sueño.

No fue sino hasta la tercera guardia cuando ocurrió. El enemigo, con seguridad sabedor de que era yo quien le vigilaba, demoró su aparición lo suficiente como para sentirse tranquilo.

Además, él también hizo una elección, y escogió la noche en que la luna fue acuchillada.

Lo recuerdo perfectamente: hubo luna llena, pero el disco puro del satélite, bien dibujado contra el telón negro del cielo al final de la calle Cruz, fue penetrado con siniestra lentitud por una nube en forma de navaja, afiladísima y artera, que procedió a cortarlo en dos mitades exactas. Más tarde escribí:

> Pavoroso suceso, preludio de otro más horrible: la luna se partió como un pan de mollete. La nube divisora era como un puñal hindú, de agudísima punta y bordes ondulados.

Justo un instante antes de percibir aquel cósmico crimen, distinguí al hijo de Diosdado el de la pollería y a un amigo suyo caminando por Cruz hacia abajo. Ellos también me vieron y se echaron a reír como dos imbéciles, desde la acera opuesta:

—¡Anda, si es el loco del cementerio! —exclamó burlonamente el amigo—. ¡Qué susto!

El hijo de Diosdado (se llamaba Ángel, Ángel Diosdado; parece mentira llamarse así y ser tan cabrón) le dio un codazo a su compañero y siguió sonriéndome como un cretino de nacimiento:

—¡Don Baltasar! ¿Qué hace ahí tan quietecillo, hombre? ¡Váyase a casa, que es tarde!

A pesar de que el «ángel» no me había insultado, me pareció mucho más demonio que su amigo: tengo la nariz fina para los hipócritas. Preferí ignorarles y se marcharon riéndose calle abajo. Eran solo dos estúpidos chavales y en ningún momento habían llegado a sospechar el inmenso peligro que les acechaba a escasos metros de distancia.

Porque cuando desaparecieron en la primera esquina de Cruz, y tras percatarme con horror del navajazo de la luna, la pesada y temible araña negra saltó desde una de las ventanas enrejadas de la planta baja de la casa de Guernod.

Aunque, como es natural, me estremecí de cabeza a pies, nada hice sino observarla atentamente: sabía que cualquier movimiento en falso por mi parte la alertaría haciéndola huir a toda velocidad, y, en razón de las seis patas de ventaja que poseía, yo no tenía ni la más mínima oportunidad en una hipotética persecución; terminaría escapándose irremisiblemente y se ocultaría en cualquier rincón oscuro, esperando a la noche siguiente para actuar. Otorgarle cierto grado de confianza era parte de mi plan.

Continué, pues, en la esquina, tan inmóvil como pude, sin perder de vista al monstruo. Éste pareció olfatearme de pronto: se detuvo a medio camino de la calzada, las cerdas del peludo abdomen tiesas como púas de erizo, su sombra grotescamente proyectada sobre la calle por las dos mitades de la luna herida, y empinó aquello que debía de servirle como cabeza. Contuve la respiración durante ese instante terrible pensando que me había descubierto. Pero entonces el asqueroso bicho reanudó sus sigilosos movimientos de ladrón y trepó por la pared de la casa de enfrente… ¡entrando por la ventana enrejada del piso donde vivía María Auxiliadora Bernabé!

No fue la mejor de las noticias. «La señorita Bernabé… Dios mío, la señorita Bernabé… ¡Ella *no*, por favor!», rogué mentalmente.

Por supuesto, esa noche no había nada más que hacer: mi asesino no daría el golpe hasta, por lo menos, un par de días después, de eso estaba seguro, porque, en caso contrario, infundiría peligrosas sospechas en el vecindario. Pero, ahora que yo sabía que se ocultaba en casa de la señorita Bernabé, ¿cómo haría para atraparlo? Los pensamientos contradictorios me embarullaron la cabeza.

Cuando regresé a casa, los nervios no me dejaron desvestirme y ni siquiera rezarle a la copa donde guardo las cenizas de mi padre, como hago habitualmente: tal como estaba me arrojé en la cama y me dediqué a mirar al techo mientras jadeaba penosamente. Permanecí en aquel estado de trance un tiempo indefinido. «¡La señorita Bernabé no…! ¡La señorita Bernabé no…!», era el único pensamiento que, a ratos, me venía a la conciencia. Al fin logré controlarme, con lo cual pude moverme (pues, a diferencia de la mayoría de la gente, a mí la inquietud me deja totalmente quieto, como a ciertos perros de caza), y cuando me sentí mejor me levanté y lo primero que hice fue anotar en mi cuaderno los sucesos recientes. Después, y hasta que el cansancio me venció, pasé el tiempo diseñando mi futuro plan de acción. ¡Jacinto Guernod había muerto de manera atroz, pero yo no iba a permitir que le ocurriera lo mismo a la señorita Bernabé! ¿Por qué le había tocado a ella? ¡Designios misteriosos de Dios, que desde Sodoma no ha vuelto a tener miramientos con los justos!

La señorita Bernabé, la herboristera de la calle Cruz, había sido siempre una criatura dulce, amable y bondadosa, un espíritu abnegado que había tenido que soportar muchas amarguras en su vida. Creció honesta y simpática, aunque solitaria, y siempre que me veía —a cualquier edad: de niña, de adolescente o de mujer— me regalaba sus sonrisas, moneda que se ha vuelto preciosa desde que la gente la escatima tanto. Su padre, Aparicio Bernabé, había sido tendero en un cuchitril miserable de la esquina de la calle Cruz que ha terminado convirtiéndose, felizmente, en una droguería: la de los Mohedano. Entre los vecinos se comentaba que Aparicio había soñado con que su hijo heredaría la miserable tienducha, y, enquistado en ella como los mejillones a las rocas mojadas, seguiría adelante con el negocio de cuatro perras gordas que él mismo había fundado y del que tan orgulloso se sentía (he dicho «cuatro perras gordas» y me equivoco, porque la tienda daba dinero y sabido es que la tacañería es la pobreza culpable). Pero, bien fuera porque no tuvo hijos varones, bien porque no halló disposición en su única hija para continuar por aquella admirable senda, bien porque ella misma lo rechazara abiertamente, lo cierto era que el viejo había terminado traspasando el local muchos años antes y se había dedicado a morir con paciencia junto a María Auxiliadora. A esto se unía la prematura defunción de su esposa y su propia y prolongada vejez, que le había roído el cerebro. Como solo tenía a su hija para cuidarle, ello significó la condena eterna de la pobre muchacha.

A sus cuarenta años recién cumplidos, María Auxiliadora seguía habitando la misma diminuta casa de sus padres, junto a su momificado progenitor, aún atractiva, soltera y absolutamente desperdiciada para la vida. No había perdido ni pizca de simpatía, pero aquel voluntario claustro y su constante labor de enfermera la habían convertido en un ser pálido, envejecido y deprimente, lo cual me daba una pena infinita: esos ojos azul oscuros como palomas zuranas o como el mar en invierno y esa sonrisita dulce que le encendía el semblante cada vez que despuntaba se merecían algo más, sin duda, que aquella triste reclusión. Y lo más desagradable del caso es que ella misma lo sabía.

Su único pasatiempo consistía en vender plantas medicinales, como ya había hecho su madre mucho antes, pero María Auxiliadora no se iba al campo a buscarlas sino que las pedía a la ciudad, y a veces a Madrid y Barcelona. Sin embargo, su fama de herborista se había hecho notoria en Roquedal, y Paca Cruz, la pitonisa del hostal de la playa, me había dicho un día que lo que no curasen las hierbas de la señorita Bernabé no lo remediaba ni el doctor Torres.

Digo todo esto para mostrar el verdadero afecto que sentía por aquella chiquilla de cuarenta años. Me propuse impedir desde el principio que nada malo (o nada peor) le sucediera.

Al día siguiente, más repuesto después de un descanso breve pero adecuado, me vestí y acicalé lo mejor que pude —cuerda nueva al cinto, flor suavemente marchita en la solapa— y emprendí la marcha hacia el pueblo en dirección a la casa de la señorita Bernabé. Me sentía bastante más tranquilo que la noche anterior: tras escoger y descartar diversos planes había llegado a la conclusión de que no podía planear nada hasta que no descubriera dónde se ocultaba realmente el asesino, pues existía la posibilidad, pequeña pero esperanzadora, de que hubiese abandonado aquella casa para ir a ocultarse en otra.

Me recibió la misma señorita Bernabé, lo cual no era de extrañar porque siempre estaba allí y en sus raras ausencias nadie habría podido abrirme la puerta: no, desde luego, Sarita, la gata negra y despeluchada que arrastraba su panza en silencio, el único ser realmente vivo aparte de María Auxiliadora; mucho menos el viejo Aparicio, que no se movía del sitio donde su hija lo colocaba, como los jarrones.

—¡Don Baltasar, qué sorpresa! —Aquella sonrisita dulce de nuevo—. ¡Pase!

Ya he dicho que sus ojos eran azul oscuros como palomas zuranas o como el mar en invierno, pero diré todavía algo más: en sus ojos, y solo en ellos, la señorita Bernabé era libre. Todo lo que la rodeaba eran barrotes, pero su mirada enorme la hacía cantar y volar por dentro, como un jilguero. Y diré también que tenía agazapado el pelo, que ya era gris, con un anticuado moño de pinzas, y que se protegía el blanquísimo cuello con un pañuelo limpio de lunares grises, y que sobre su rebeca llevaba prendida, ¡bendita sea!, una ramita seca de trigo raspinegro, algo así como un broche natural, que simbolizaba muy bien su profesión de herborista, aunque creo que ella se la ponía por no sé qué recuerdo de su madre. Nunca se maquillaba, pero su rostro reflejaba la belleza serena de un amanecer en la montaña. Y como apenas salía de casa, el aroma de las plantas se le pegaba al cuerpo, y acercarse a ella era oler a menta, tomillo, eucalipto y hierbabuena, como entrar de repente en un reducidísimo bosque en mitad de un pueblo como éste, en que no huele a otra cosa que a mar.

Añadiré que era de las pocas personas de Roquedal que jamás me insultaban: nunca la oía referirse a mí como «el loco del cementerio» y siempre me trataba con un respeto intachable. Quizá percibía mi soledad, al igual que yo la de ella: ambos éramos maestros de la misma desgracia —en ella, escogida; en mí, impuesta; aunque ¡quién sabe si no era al revés!— y nos comprendíamos en silencio.

—¿Sería mucha molestia, señorita? —pregunté sin decidirme a entrar, quitándome el sombrero.

—¡No diga tonterías! ¡Precisamente tengo agua calentándose! ¿No le apetece un poleo mañanero?

—Muchas gracias.

Yo había visitado varias veces a la señorita Bernabé (para comprarle hierbas del reúma), así que no consideré que hacía mal obedeciéndola. Creo haber dicho ya que la casa era pequeña, y pude comprobarlo entonces: la cocina se abría directamente a su dormitorio y al saloncito, y su única ventilación consistía en un ventanuco alto que, por otra parte, se hallaba cerrado. En el saloncito, la solitaria ventana de doble hoja daba a la paralela de Cruz, la estrecha calle del Solar. Tenía una salida lateral que conducía a la habitación de su padre, que era el dormitorio grande y daba también a Solar; al de ella solo podía accederse a través de la cocina. Era una casa estrecha y decrépita como el cerebro de su dueño, y reflejaba baldosa a baldosa, zócalo a zócalo, toda la avaricia de un hombre que no había querido gastarse los cuartos en una vivienda mejor.

Sarita, la gata, más fea que de costumbre, instalada en un rincón del suelo de la cocina, me miraba con los ojos de ópalo sabio de los felinos viejos. Anoté esa noche en mi cuaderno:

> Importante hallazgo. La gata me avisó. Sus ojos, planetarios, se hallaban partidos por los husos negros de la rueca del destino, como ayer la luna. Investigar relaciones con la oquedad central de las nubes.

Mientras la señorita Bernabé regresaba a la cocina y cerraba la puerta, entré en el saloncito y me senté junto a la mesa camilla, no sin antes saludar cortésmente al viejo Aparicio, que no me contestó.

Llevaba tiempo sin verle, y reprimí una mueca: como el que se olvida un trozo de queso fuera del refrigerador y lo halla, al cabo del tiempo, peludo de gusanos. Aparicio parecía poseer una vejez infinita: era calvo y arrugado como la cera que se derrite para enfriarse después en la base de la vela; se encogía sobre la eterna mecedora hasta el punto de que los hombros competían en altura con la cabeza; las manos, muy grandes, eran la otra parte visible de su piel: la derecha lucía unas uñas ominosamente largas, de puntas casi negras (en una pelea a zarpazos, a buen seguro que Sarita habría perdido); tenía la mirada, como toda la expresión, enfundada en maldad. «Dios mío —pensé—, ¿y con este engendro vive esta pobre mujer?»

Allí estaba, silencioso e inmóvil en su mecedora, hundido en su propia ropa pero con las manos —sobre todo la derecha, de uñas largas y negras— totalmente al descubierto. Menos obsceno me habría parecido que enseñara el resto del cuerpo. Tras él se alineaban, en una estantería que llegaba hasta el techo, incontables frasquitos etiquetados y bolsas de plástico con hierbas. Ver a Aparicio allí sentado me hizo pensar en un viejo y carcomido tronco plantado en mitad del bosque.

Dejé de mirarle para concentrarme en lo que tenía que hacer. ¿Cómo exploraría el dormitorio de María Auxiliadora sin despertar sus sospechas? Los acontecimientos posteriores me evitaron aquel trance… ¡pero no sé si hubiera sido preferible! Transcribo lo que anoté en el cuaderno más tarde:

Llegó la señorita Bernabé con dos infusiones. Me sirvió el poleo y se sentó junto a su padre para darle de beber un té de hierbas amargas que, según me explicó, era bueno para los riñones. Por su actitud de adoración al inclinar el vaso para que Aparicio sorbiera, diríase que se trataba de una indígena ofreciendo su tributo diario al ídolo tallado en piedra. Mientras tanto, no dejaba de hablarme:

—Es un niño malcriado —prrttz, sorbía el viejo—, hay que dárselo todo aunque sepa coger algunas cosas, ¿verdad que sabes, papá? —prrttz, sorbía el viejo—. Claro que sabes, pero estás muy mimado… ¿Qué va a pensar don Baltasar de ti? —prrttz, sorbía el viejo.

Bebí mi poleo respetando el repugnante ritual. Cuando Aparicio terminó su té —un gruñido indicaba que no quería más—, la señorita Bernabé pasó a hablarme del ramo de flores que le ha encargado don Fernando el párroco para el paso de la Virgen del Gato este Viernes Santo. Se ilusiona con esa labor.

—¿Qué flores usará, si no le importa decírmelo? —pregunté enseguida.

—Violetas, por supuesto —contestó—. ¿Qué otro color va a ser mejor para Nuestra Señora en su infinita tristeza?

Y por la manera en que decía aquella palabra —«tristeza»—, bajando la cabeza y situando los ojos lejanamente azules en un punto vacío, no parecía sino que hablaba de ella misma y que aquel precioso ramo que tanto la ilusionaba estaba destinado a su propia tumba.

No se me ocurría ninguna excusa plausible para registrar su dormitorio, ya que no podía contarle la verdad; decirle, por ejemplo: «Perdone, señorita, pero, si no le importa, voy a entrar en su cuarto para buscar una araña negra tan grande como mi mano, repleta de veneno y de malas ideas, que pretende asesinarla a usted. Ahora mismo vengo». Empecé a echar incómodos vistazos hacia la cocina, que, como he dicho, era el único acceso a su habitación, pero como eso tampoco servía de nada, mi inquietud fue en aumento. Ella, que lo notó, equivocó mi malestar:

—Pero ¿qué le pasa? ¿Tiene frío? ¿Cierro la ventana?

—No, no, gracias. Estoy bien.

—La voy a cerrar de todas maneras —dijo al tiempo que lo hacía; volvió a sonreírme encantadoramente y me guiñó un ojo—. Es que, no sé si lo sabe, pero aquí, al «niño», no le gusta que la ventana de la salita esté abierta ni siquiera en verano. ¿A que no, papá? —El viejo no dijo nada; seguía mirándome con desprecio—. ¡Pero la de su cuarto bien que le gusta tenerla abierta! ¿Usted lo entiende? Las manías que le dan. Se queja de todo: del frío, del calor… Quiere vivir tapadito por las mantas como un bebé. ¡Está tan mimado…! Y eso sí: que no lo dejen solo ni un momento. No sé cómo no ha protestado al verme entrar en la cocina. Por las tardes, cuando me pongo a trabajar en las hierbas y a guisar, tengo que llevármelo un ratito y sentarlo en la cocina, conmigo, ¿se lo puede creer? ¡Como yo le digo: pero papá, si la casa es tan pequeña que abres un ojo desde la cama y ya me ves! —Se echaba a reír mirando al viejo para buscar su agrado; pero Aparicio me observaba solo a mí, con los ojos muy fijos y muy fríos como dos trozos de hielo negro—. Pues nada: hay que estar a su servicio. ¡Ah, a usted también le parecen mal esas uñas…!

Me sorprendió este comentario y me estremecí como si despertara de un sueño: era cierto que había estado contemplando, de hito en hito, la enorme mano derecha de Aparicio.

—¡A que sí! ¡Dígaselo, dígaselo de una vez, a ver si a usted le hace caso! ¿Será posible que no me deje cortarle las uñas de esa mano? ¡Cómo se pone…! ¿Le parece bien que un señor tenga las uñas tan largas?

—Claro que no —murmuré.

—¿Has oído, papá? ¡Que a don Baltasar no le parece bien que te dejes así las uñas! Es una vergüenza, ¿verdad? —volvió a guiñarme un ojo.

—Es una vergüenza —repetí como un autómata.

—¡Qué maniático se ha vuelto! ¡Si yo le contara…!

Me contó algo realmente, pero yo dejé de oírla. Reclamaba de nuevo mi atención aquella tremenda mano derecha de venas gruesas, vello retorcido y lunares de vejez.

Aquellas uñas largas y negras.

Roc, roc, roc-roc. Las uñas golpeaban el brazo de la mecedora como cuervos picoteando un árbol. Ahora me percataba de que Aparicio no había dejado en ningún momento de producir aquel ruido: Roc, roc, roc-roc, dos arañazos sueltos seguidos de dos rápidos. El movimiento de sus dedos era como un tic, tan frecuente a esas edades, inevitable y preciso. Decidí investigar de forma esquinada la extraña mano y su rítmico aleteo.

De pronto comprendí la horrible verdad.

El espanto me erizó los pelos del cogote. «¡Increíble añagaza, astuto y siniestrísimo enemigo!», escribí esa noche. «¡Ya no es una araña; ha dejado de ser una araña y ahora es…!»

—Don Baltasar, ¿se me pone usted malo? —La señorita Bernabé me observaba con preocupación.

Un gruñido del viejo me salvó de contestar. Después anoté: «¡Concordancia exacta! ¡Voz ronca, vacía, amenazadora…!» «Me has descubierto.» Eso decía el gruñido.

—Sí, papá. Es don Baltasar, ¿no lo reconoces?

Otro terrible gruñido.

—No sé lo que dices, papá…

Otro gruñido más fuerte y prolongado.

—Papá, no te entiendo. ¿Qué quieres? —La señorita Bernabé buscó mi comprensión con la mirada—. ¡Siempre igual: pide mucho, pero hay que saber chino para entenderle, pobrecito! ¿Es agua, papá? ¿Quieres agua?

Otro gruñido. «… "Te quiero a ti." Eso decía el gruñido.»

—¿Tienes frío? ¿Te acuesto…?

«… "Quiero tu vida joven." Eso decía el gruñido.»

—¿Es que… te has manchado?

«… "Tu corazón tras las rejas. Quiero tu corazón de niña." Eso decía el gruñido.»

Me levanté de un salto, incapaz de proferir palabra. Qué duda cabe que yo había escuchado los mismos sonidos infrahumanos que la señorita Bernabé, pero en mi imaginación, enfebrecida por el terrible hallazgo, se me antojó que formaban aquellas frases.

—No se vaya, don Baltasar, que limpio a mi padre enseguida —dijo la señorita Bernabé—. Le aseguro que no me llevará más de un momento… Le limpio y acuesto y me vengo con usted.

Percibí una vaga súplica bajo aquellas palabras amables y logré controlar mis nervios. «Venga, venga, Baltasar: un buen detective no puede venirse abajo en los momentos cruciales», pensé, dándome ánimos.

—¡Quédese ahí sentado, es una orden! —me dijo ella, sin perder la alegría—. ¡O entre en la cocina y hágase usted mismo otro poleo, hombre!

—Esperaré —le dije, intentando sonreír.

Cerré los ojos mientras la señorita Bernabé interpretaba toda la compleja escena de levantar a su padre del asiento y hacerle caminar sin perderle el respeto, hablándole siempre con ternura:

—Vamos, papá… el pie derecho… no, un poco más… cuidado ahora… vamos… ahora… así, papá… Si pones de tu parte será más fácil… así… ahora el otro pie…

Me quedé esperando en el saloncito, valorando las distintas posibilidades que tenía. ¿Qué debía hacer? ¿Cómo podía atraparlo ahora? ¿De qué forma impedir que consumara su espantoso crimen? Desde las habitaciones interiores me llegaba el ajetreo de la ropa y los gruñidos de Aparicio. Al cabo de un rato, la clarísima voz de la señorita Bernabé se alzó en falsete, llena de asco:

—¡No, papá, deja eso! ¡No toques eso, papá…! ¡Te he dicho muchas veces que…!

Al pronto me asusté, pero inmediatamente supe a lo que se refería. Desde hacía tiempo era más que conocida la pésima costumbre del viejo (aunque disculpable por su abyecta senilidad) de jugar con sus propios excrementos. Más de un vecino de la calle Solar, a la que daba su dormitorio, se quejaba de que los lanzaba con diestra puntería por la ventana, que siempre dejaba abierta con tal fin, e iban a dar de lleno en objetos e incluso (alguna que otra lamentable ocasión) en las personas que en aquel momento fatal pasaban por allí. Era, en verdad, un hábito deplorable… ¡pero, después de mi descubrimiento, razoné que se trataba del menos peligroso!

Y sin embargo, ¿qué podía hacer yo? Me sentí de repente tan débil y solitario como la vieja gata Sarita, que en aquel instante salió de la cocina arrastrando su grotesco cuerpo por el suelo mientras me lanzaba un maullido quebrado. «Sí, ya lo sé… —pensé con tristeza—, ya sé dónde está el enemigo, pero ¿qué puedo hacer? Si tú, cuando olisqueas la caza, encontraras, en vez del ratón joven y pequeño, un perrazo viejo y enorme de afilados dientes, ¿qué harías?, ¿qué podrías hacer?»

La señorita Bernabé demoró, en efecto, poco tiempo, pero me halló en pie cuando regresaba.

—¿Es que ya se va, don Baltasar?

—Sí, ya es tarde —dije—. Gracias por el poleo, señorita. Y por el rato de charla.

—¡Por Dios que anda remilgado hoy! ¡No me dé más las gracias y vuelva mañana, que es lo que tiene que hacer!

Creo que fue su sonrisa lo que me hizo reaccionar. Me acompañó hasta la puerta para despedirme, y entonces, sin poder más, me volví hacia ella jugando nerviosamente con el ala del sombrero entre los dedos.

—Señorita... debo decirle algo.

—¡Que me asusta usted! ¿Qué ocurre?

Todavía recuerdo su figurita sencilla, su cara asombrada de niña solitaria en un cuarto oscuro, de pie en el umbral, con la puerta de la calle abierta, ella de espaldas a la negrura de la casa y yo de espaldas a la luz de la calle. Cierro los ojos y vuelvo a ver esas imágenes.

—No ocurre nada, no se preocupe —la tranquilicé con una mentira—. Se trata de... su padre. Vigile a su padre, señorita.

—¿Que lo vigile? ¡Poco vigilado que está! —sonrió—. ¡Ande, no se preocupe por él, que es usted más bueno que el pan...!

—No me preocupo por él sino por usted. Tenga cuidado con su padre.

—Verdad que debo tenerlo: el día menos pensado nos va a dar un buen susto...

—Dígame —la interrumpí—: ¿su dormitorio tiene pestillo, señorita?

Abrió sus bondadosos ojos azul oscuros, toda azorada.

—Sí... ¡Qué preguntas hace usted...!

—Eche el pestillo todas las noches, por lo que más quiera. Y abra la ventana: así podrá huir si es necesario. ¡Es muy importante, créame! Pero no solo eso: ¿sería posible cerrar la puerta de la habitación de su padre *por fuera*?

—¡Cristo bendito! ¿Para qué?

—¡No le deje salir de la habitación!

—¿Salir? ¡Pero si no puede ni moverse sin mi ayuda...!

—¡Hágame caso: no le deje salir, vigílelo, no lo pierda de vista en ningún momento, no le dé la espalda, no se duerma sin asegurarse de que él se ha dormido antes, aun así procure mantenerse despierta todo lo que pueda…!

—¡Don Baltasar, por favor, tranquilícese!

Nunca olvidaré su mirada entonces: la misma que ponen las ovejas cuando las llevan, engañadas, al matadero.

—¡Créame, se lo suplico! —rogué.

—¡Bueno, bueno, no se preocupe, déjeme ahora, déjeme ya…! —dijo ella, apurada.

¡Demasiado bien conocía yo aquella manera de dirigirse a mí! En ella era infrecuente, sin embargo. Como vi que era inútil seguir insistiendo, y además estábamos llamando la atención de la gente, me despedí con una última reverencia, me calé el sombrero, di media vuelta y eché a caminar por la calle repleta de sol sintiendo escalofríos en las entrañas.

Como podrá suponerse, dudaba con toda razón de que la señorita Bernabé siguiera punto por punto mis instrucciones, así que decidí establecer mis propios turnos de guardia.

No fue tarea fácil: tenía que vigilar alternativamente la calle de la Cruz, a la que daba, como ya he dicho, la ventana del cuarto de la señorita Bernabé, y la del Solar, a la que daba el dormitorio de su padre. Pero puesto que pocas cosas se resisten a la voluntad humana, lo que parecía al principio no solo difícil sino imposible logré llevarlo a cabo con la determinación y firmeza de mis propósitos.

¡Veladas solitarias fueron ésas! Salía todos los días de mi caserón a eso de las once de la noche, con el fin de llegar sin apresurarme al pueblo, que ya estaba sumergido en la oscuridad y el vacío, los comercios, las ventanas y la mayoría de los ojos cerrados, salvo en las tabernas. Llegaba alrededor de un cuarto de hora después de haber salido, lo que no era mal ritmo, y me situaba, como el que no quiere la cosa, de pie en la misma esquina de Barracón desde la que había espiado la casa de Guernod, aunque ahora lo que vigilaba era el dormitorio de la señorita Bernabé. Habiendo decidido que más trabajos merecía el enemigo que el aliado, un poco después de las dos de la madrugada me mudaba a la calle del Solar y observaba desde la acera de enfrente la ventana del viejo, permaneciendo en aquel puesto el resto de la noche.

Arreciaba el frío a esas horas. Era abril, y los del sur, más aún los costeros, no estamos muy hechos al relente fuerte. Todavía peor fue que lloviese dos noches seguidas, justo antes de las procesiones, suceso maravilloso donde los haya en esta perdida aldea andaluza donde sobra el agua en el mar y falta siempre en el cielo. Pero todo supe soportarlo, incluso los chaparrones, que me pillaron desprevenido las dos veces en la calle Solar, sin paraguas e incrédulo, por lo que hube de refugiarme malamente bajo las delgadas cornisas de la casa de Huertas, el vecino de enfrente, tan aterido que hasta temblaba. Sin embargo, lo que son los afectos, el destino de la señorita Bernabé me parecía infinitamente peor que mis sufrimientos: «Pobre, pobrecita —pensaba—, no es culpable, no se lo merece, ha sido siempre buena y dulce... No se merece una muerte así... Todo lo que haga para impedirlo será poco».

Con la llegada de las procesiones mi vigilancia se hizo algo más cómoda. El gentío, los niños que se acostaban tarde y poblaban de gritos la noche, los trompetazos y redobles, las saetas lejanas que se cantaban en la plaza y, en fin, todos los acontecimientos propios de estas ceremonias, aliviaban un poco mi tormento: ¡hasta la simple presencia de la gente a nuestro alrededor logra consolarnos, aunque nadie nos haga caso! Además, en esos días dejó de llover y pude soportar mi vigilia con más facilidad.

Finalizaba mi guardia cuando advertía en el horizonte firmes propósitos de amanecer, y regresaba, cansado pero satisfecho como un ejército que acabara de librar una durísima batalla en la que hubiera resultado victorioso, a mi solitario y frío caserón. Así, día tras día, noche tras noche, levantándome con los ocasos, acostándome al alba, era natural que me preguntase cuánto más aguantaría mi cuerpo, cuánto más tendría que sacrificarme por la preciosa vida de aquella bondadosa mujer. Y no menos natural era concluir que estaba destinado al fracaso, porque los seres humanos podemos, de vez en cuando, enfrentarnos a lo imposible, pero nunca a lo infinito.

Noches antes del día de la tragedia, aunque posteriores al Viernes Santo, mi enemigo decidió decirme «aquí estoy», por si acaso yo lo había olvidado.

Las guardias habían vuelto a ser aburridas tras el ajetreo de las procesiones, pero, por lo menos, ya no llovía. Y como la costumbre es gran maestra y experta entrenadora, ya no me costaba tanto esfuerzo permanecer vigilante hasta que el clarear de las nubes me relevaba. Durante todo aquel tiempo, dicho sea de paso, no había percibido nada raro ni en el cuarto de la señorita Bernabé ni en el de su padre, y casi empezaba a albergar la esperanza de que mi asesino se lo hubiese pensado mejor al ver mi inquebrantable tenacidad, y hubiera elegido otra víctima. Pero, ay, de qué forma aquello que deseamos se convierte en el espejismo de un hecho: porque lo cierto era que mi enemigo poseía, al menos, tanta tenacidad como yo, y dos o tres noches después de Semana Santa pude comprobarlo.

Sucedió cuando vigilaba el cuarto del viejo, un poco después de las dos de la madrugada. No hubo preámbulos que me alertaran, no hubo ruidos ni visiones fantasmagóricas. Fue un acontecimiento en apariencia muy natural y, sin embargo, tan espantoso que, al pronto, incluso perdí el habla y la capacidad de reaccionar.

Ocurrió, simplemente, que el viejo surgió de la oscuridad de su cuarto y se quedó de pie tras la ventana entreabierta mirándome en silencio, muy quieto, como había hecho días antes en su casa.

Eso fue todo, y, sin embargo, incluso ahora, diez años después, la carne se me pone de gallina al recordarlo. Ni sé cómo tuve valor para quedarme tan quieto como él y desafiarle con la mirada. No digamos para hablarle, como hice la noche siguiente, cuando volvió a repetirse el suceso.

En realidad, Aparicio no hacía nada salvo permanecer inmóvil durante un rato observándome igual que yo a él, aunque no igual, porque él lo hacía desde la muerte y yo desde la vida, él desde el crimen y yo desde la justicia: un abismo sin fondo separaba nuestras miradas. Después, como si supiera que ya me había advertido lo suficiente, se retiraba tan tranquilo y regresaba a la oscuridad del dormitorio. La primera noche, el horror que sentí no me permitió más que breves exclamaciones, como quien intenta espantar a un tigre con piedras:

—¡Sal…! ¡Fuera…! ¡Vete…! ¡Ya…! ¡No…!

«¿Y si avisara a la señorita Bernabé? —pensaba—. Así podría comprobar que no miento. Ya que cree que su padre no puede caminar sin su ayuda, se convencería por fin de que…» Pero, sobrecogido por las contradicciones, rechazaba la idea enseguida: «No, sería inútil: porque en realidad ella tiene razón y su padre no puede caminar. *No es su padre lo que ahora estoy contemplando.* No sirve de nada explicarle a un niño pequeño lo que es el mal. De nada sirve razonar con un loco, si se es cuerdo, ni delirar con un cuerdo, si se es loco. No: cada cosa requiere su orden, y cada tarea su persona». De tal forma razonaba para conjurar el miedo.

Y, a la noche siguiente, decidí demostrarle a mi asesino que yo tampoco me rendía. Cuando el viejo apareció con su cráneo descarnado de cal viva y sus arrugadas zarpas por el hueco rectangular de la ventana, iluminado apenas (pero lo suficiente) por el resplandor de las farolas, reuní todo el valor que jamás he tenido ni volveré a tener para espetarle:

—¡Déjala en paz, muerto en vida! ¡No te atrevas a tocarla! ¡Vete de esta casa de una vez! ¿Crees que me vas a derrotar? ¡Aquí me tienes! ¿Aguantarás más que yo? ¡Ya veremos! ¡No te sientas tan seguro, que te conozco! ¡Yo, entre todos los seres que destruyes, te conozco…!

No se dio por aludido mi enemigo: solo me miraba; y ni siquiera tenía yo la completa seguridad de que lo hiciera, porque no veía sus ojos sino las borrosas cuencas donde, sin duda, estarían enterrados, negras y frías como el anuncio de nuestra muerte. Pero, a pesar de que yo no alzaba mucho la voz por temor a despertar a los vecinos, sabía perfectamente que me estaba oyendo.

—¡Mataste a Jacinto Guernod, y eso estuvo mal, aunque quizá aquel borracho se lo merecía…! ¡Pero déjale otra oportunidad a la señorita Bernabé! ¡Permítele disfrutar de la última juventud que le queda, demonio repugnante…! ¡Te juro que si le haces daño lo lamentarás hasta el último día del infierno, palabra de Baltasar Párraga…!

Estas bravuconadas grité, u otras similares, y, tras ellas, mi adversario retornó con absoluta calma a la oscuridad del dormitorio.

Tengo por muy honroso declarar que, de no haber mediado causas mayores, mi voluntad no hubiese sido nunca responsable directa de lo que ocurrió, e incluso, quién sabe, quizá hubiera podido resistir muchos días más hasta agotar la paciencia o las energías de mi asesino.

Pero lo que se agotó fue mi cuerpo. Y es que tantas noches de guardia, tantas imaginarias pavorosas, y sobre todo la maldita lluvia que había soportado, pasaron factura a mi organismo y cogí, al día siguiente de desafiar al monstruo, un mediocre constipado, impropio de un héroe detectivesco, que, mal atendido, se transformó en una seria infección bronquial. Esto no es saludable para nadie, pero lo era mucho menos a mi edad, así que tuve que guardar cama una única noche, entre la fiebre, el delirio, la soledad, los temores y la tos, que no era poca. Debido a no tener teléfono en casa ni siquiera pude recibir la ayuda, innecesaria la mayor parte de las veces, del doctor Torres.

Fue una sola noche, pero bastó.

Al día siguiente abrí los ojos ya bien entrada la mañana, me sentí un poco mejor, me levanté y me asomé por la ventana del dormitorio. Se me figuró que era el día más espléndido que habíamos tenido hasta entonces en aquella inestable primavera, y pensé: «¡Una noche sin vigilancia! ¡Qué desastre! Pobrecita, pobre chiquilla…».

Me vestí apresuradamente, sin dejar de toser y expulsar flemas, más inquieto conforme más bella se iba poniendo la mañana, y salí corriendo hacia el pueblo.

Llegué fatigado y jadeante, pero a tiempo de ver cómo sacaban el cadáver de la señorita Bernabé en unas parihuelas y lo metían a toda prisa en una inútil ambulancia. El color de sus ojos, espantosamente abiertos, parecía haberle teñido todo el rostro como tinta derramada: tenía la cara azul oscura y unas manchas rojas en las mejillas como un sedimento de sangre. La boca estaba deformada por el gran susto de la muerte. Por lo demás, era la misma: el mismo moño gris con pinzas, el pañuelo de lunares e incluso la espiga trigal prendida a la rebeca balanceándose con los vaivenes de la camilla. Dos enfermeros la transportaban y un tercero cubrió con la sábana la flagrante injusticia de su pobre rostro. Había también guardias civiles y un par de bomberos. La casa se hallaba abierta y ventilada, pero aún era posible oler a gas.

—¿Cómo ha podido ocurrir? —decía un vecino de los muchos que se agolpaban en la puerta.

—El tubo de goma del butano se partió —intervino otro— y, como la casa es tan pequeña, su habitación se llenó de gas enseguida; la pobrecilla, que estaba durmiendo, no se despertó más…

—¡Yo la había visitado varias veces! —decía otra vecina—. Es verdad que la casa es pequeñísima, y la pobre dormía junto a la cocina…

—Qué horror.

—La gata también está muerta.

—Qué desastre, Dios bendito.

—El que ha tenido suerte ha sido el pobre Aparicio —comentó la sabia vecina que los había visitado «varias veces»—.

¡Claro: como dormía en la habitación más alejada, y siempre con la ventana abierta, ya sabemos para qué…!

–Mira por dónde, eso de tirar porquería a la calle le ha salvado la vida al viejo –dijo, como de pasada, el hombre que estaba a su lado, y que debía de ser su marido porque ella le amonestó con un codazo.

–Una vida de sacrificios cuidando a su padre, para luego terminar de esta manera… –sentenció otra vecina, que era anciana–. Estamos todos en las manos del Señor…

Sin perder más tiempo, me deslicé entre la gente y logré entrar en la casa. Dos bomberos y un guardia civil (reconocí al cabo Marchena) inspeccionaban en la cocina las cañerías del gas. Todas las puertas estaban abiertas, así como la ventana del saloncito, pero la casa ya no olía a otro campo que a los de concentración. Supuse que solo disponía de pocos segundos antes de que los enfermeros regresaran a por el viejo, si es que no se lo habían llevado ya.

–¡Eh, el loco, que se ha colado el loco! –dijo algún vecino a mi espalda; hasta la fecha no he logrado saber aún quién me delató.

Penetré en la habitación del viejo como una bala, levantando el bastón a guisa de arma en previsión de lo que pudiera encontrarme.

–¡Quedas detenido por el asesinato de Jacinto Guernod y María Auxiliadora Bernabé! –le grité a lo que yacía en la cama.

Don Aparicio, enterrado sobre dos almohadones bajo un crucifijo enorme como una guadaña y rodeado por un olor fétido a cosas muertas, me soltó un gruñido de acecho. Con su mano derecha, la de la zarpa, amasaba algo lentamente, y no tuve que mirar dos veces para saber lo que era. Pronto comprendí las intenciones de mi enemigo.

–¡No! –exclamé, abalanzándome sobre el viejo al mismo tiempo que dos guardias civiles entraban en la habitación y me sujetaban.

Pero ¡y qué! Ahora me alegro de que aquellos agentes refrenaran mi primer impulso y me detuvieran. Aparicio ya no era lo que más importaba en aquel momento; es más: había dejado de ser importante para siempre; había jugado su papel y desempeñado su labor tal como mi asesino deseaba, y ahora había sido desechado. Por otra parte, nunca hubiera podido llegar a tiempo de impedirle hacer lo que sabía que iba a hacer, pues no bien los dos policías me hubieron reducido por la fuerza, el viejo, terminando de amasar las heces a su gusto, alzó la mano y las arrojó por la ventana abierta. Tanta violencia empleó que cruzaron la breve calle del Solar como una perdigonada maldita y fueron a estrellarse contra la ventana del vecino de enfrente. Mientras la autoridad me hacía salir del cuarto, tuve aún oportunidad de ver que alguien abría esa ventana, sin duda intrigado por el ruido del fenomenal granizo, y contemplaba con expresión de intensa repugnancia lo que ya no era sino su propio destino escrito con mierda deslizándose, putrefacto, por el cristal.

Se trataba de la joven hija de Huertas.

Paz, se llamaba.

3

CORO TRÁGICO ALREDEDOR DE
PAZ HUERTAS MOHEDANO

Paz tenía tan solo quince años de edad y era hija de Casimiro Huertas y Ramona Mohedano. Los Mohedano ya habían sentado tristes precedentes en nuestro pueblo: una antigua prima de Ramona, Amparito, vio truncados sus días de forma trágica, en la flor de la vida, al caerse por un barranco del camino del bosque. Pensé que era mal presagio para una muchacha que, aunque no se parecía mucho a Amparo, también era muy bella. De pelo largo y suelto (aún más bonito si no se hubiera puesto mechas rubias, como acostumbran hacer ahora las chicas), Paz tenía además una atractiva figurita, que procuraba resaltar en los ojos de los demás usando ropa muy ceñida, y unos andares garbosos corregidos y aumentados por su forma de bailar, que llamaba la atención de la gente incluso en una tierra como ésta, donde estamos tan habituados a que las niñas desde muy pequeñas nos dejen estupefactos con sus movimientos.

Casimiro, su padre, era el pescadero del mercado de la plaza, aunque últimamente ha montado otro negocio en la calle Constitución, y le va muy bien. En aquellos años ya le iba no menos bien, y tenía dinero más que suficiente para darles a sus tres hijos todos los estudios que admitiesen.

Lamentablemente, ninguno de los tres admitió mucho. Julio, el mayor, se dedicó a ayudar a su padre y hoy dirige la segunda tienda de pescados. Ramiro, el más pequeño, tras algunas locuras infantiles, parece que también prefiere trabajar antes que estudiar (aunque a Ramiro le veo más inquieto y espabilado que al testarudo de Julio, así que ya veremos). En cuanto a Paz, la intermedia, su hijita del alma, no era carne ni pescado (nunca mejor dicho): Casimiro la consideraba especial; sus deditos no debían mancharse con los cadáveres de los bacalaos, besugos y boquerones, pero si tampoco quería estudiar, ¡qué se le iba a hacer!; lo importante era que fuese feliz. Por supuesto, su padre deseaba que hiciese una carrera, por ejemplo farmacia, se instalara en la capital y llevara una vida desahogada; pero si lo primero no era posible, entonces lo segundo, y si tampoco esto, al menos lo de la vida desahogada. Sobre todo que fuese feliz, por encima de cualquier otra consideración.

Sin embargo, en la época en la que yo empecé a interesarme por ella, Paz ya había tomado su decisión particular, que no era exactamente la que Casimiro pensaba. ¿Inocente? ¿Culpable? Una niña de esa edad, por muy mayor que se crea, es siempre inocente, al menos así opino yo, y no se merece en modo alguno el destino que parecía estarle reservado a Paz. Resolví, pues, dejar los juicios morales aparte y emplearme a fondo para detener a mi asesino antes de que llevase a cabo su nueva fechoría.

La guardia civil me había dejado en libertad tras detenerme en casa de la señorita Bernabé, como ha quedado dicho en el capítulo anterior. Solo me llevé una reprimenda del cabo Marchena –que me conoce y es hombre amable y compasivo–. Fingí obediencia y docilidad, y así pude dedicarme de nuevo a mi labor.

Decidí seguir a Paz. No era difícil: por las mañanas apenas salía (ayudaba, sin duda, a su madre en la casa, o, más probable, se ponía guapa para salir después), y en cuanto a las noches, aunque descansaba los lunes, martes y miércoles, se iba de juerga con un grupo de amigos el resto de la semana. Así que mi vigilancia se limitó, sobre todo, a las noches en que salía a divertirse, ya que deduje que el asesino no iba a intentar nada en su casa, con toda la familia alrededor.

Los amigos de Paz eran como ella pero peor que ella: maleducados, navajeros, bebedores y muchas cosas más. Solían detenerse primero en la Trocha y después en el bar del Romeral, y tras marcarse unas sevillanas en ambos bares (bailaba Paz, sobre todo) terminaban la noche en La Sirena, la única discoteca de Roquedal, o en la soledad de la playa. A veces iban otras chicas en el grupo, pero la mayoría era ella la única pava entre tanto pavo con el moco suelto. Cuando así ocurría, la hija de Huertas no desperdiciaba la oportunidad de autoproclamarse la reina de la fiesta. Salvo por su nombre, nada tenía Paz de pacífica.

Durante sus primeras cervezas en la Trocha yo me sentaba en una mesa discretamente alejada, le pedía un poleo a Joaquín el del bar y la vigilaba. Sus compañeros compraban litronas y comenzaban la juerga pasándose las botellas de morro en morro. Entonces Joaquín ponía música, generalmente flamenca, y Paz completaba la ronda con unas sevillanas bien bailadas, muy suelta por el alcohol y las miradas, sola o con otro compañero, le daba igual, mientras el resto del grupo batía palmas. El recorrido proseguía en Romeral, con más litronas y baileoteos, continuaba en La Sirena, donde yo no entraba por parecerme ya excesiva la vigilancia y porque de todas formas no me hubiesen dejado, y en no pocas ocasiones concluía en la playa, donde todos se dedicaban a bailar y quién sabe a qué otras cosas sobre la arena. Ése era el recorrido normal (o más bien «habitual») de jueves a domingo, y a mí empezaba a parecerme que Casimiro, en su afán de que su hija siguiera una vida desahogada, la había desahogado mucho.

Sin embargo, en lo que atañe a mi astuto enemigo y a sus misteriosos planes, nada noté hasta los días previos a la fiesta de los Reyes de Mayo, la más importante de nuestro pueblo después de la Semana Santa, una especie de gigantes y cabezudos de secular tradición que se ha convertido, como tantas otras cosas, en una excusa más para trasnochar y beber en exceso. Dos días antes, el jueves, empecé a percibir algo en el bar de la Trocha, mientras Paz bailaba con sus amigos. Así lo tengo descrito en las notas de mi investigación:

> ¡Hay frases, frases sueltas, a veces palabras tan solo, que se entrecruzan en el aire como cuervos a su alrededor mientras ella se mueve! ¡Sería preciso escribirlas todas para conocer el texto completo! Pero algo sí que sé: forman un canto fúnebre.

Aún persisten las huellas de café (círculos tostados) con que manché las hojas de mi cuaderno mientras escribía lo anterior, porque lo hice directamente sobre la mesa del bar.

Esto era lo que había ocurrido: Paz había terminado la primera sevillana y zapateaba muy bien la segunda; su cabello, vertiginoso, se movía de un lado a otro descubriéndole y ocultándole el rostro alternativamente; se podían percibir hasta las gotas de sudor en su frente. Fue entonces cuando uno de sus compañeros, acodado en la barra, la señaló con el dedo mientras los demás batían palmas:

—¡Eres…! —exclamó.

¡Algo tan simple! Sin embargo, me pareció que ocultaba una misteriosa clave. Decidí investigar esquinado y entrecerré los ojos. Volvió a hacer lo mismo y otros compañeros le imitaron. Entonces, con la tercera sevillana, todos los chavales del grupo se rieron. Escribí apresuradamente:

> ¡Oh, extraña transfiguración, misteriosa sincronía! ¿Será el alcohol, que, puesto que hermana a los desconocidos entre sí, puede, acaso, simultanear los pensamientos y las acciones? ¡Misterio insondable! No es un error de mi percepción: aunque nadie parece notarlo, esos jóvenes se ríen a la vez, en una sola carcajada unísona, una ristra de sílabas idénticas que parece ensa-

yada para producir un efecto grotesco e inquietante. ¿Y qué pensar de ese «Eres» que exclamó por dos veces el joven principal —debería decir quizá el «corifeo»–? ¡Oh, cielo santo!

En los más crueles cuentos infantiles se alude casi siempre a la voz: escapan sapos y culebras de la boca, la princesa enmudece, la rana príncipe croa en su charca, se hacen preguntas que aguardan una sola respuesta válida, se contagia un leve defecto, un tartamudeo, un paroxismo vocal que provoca la risa de los niños, siempre sabios e ignorantes. ¡La voz! Ahí estaba la primera pista cierta sobre la presencia de mi enemigo.

Afiné el oído para escuchar mejor, por encima del bullicio de la música, las palmas y las conversaciones del bar: ¡no había ninguna duda, los compañeros que rodeaban a Paz se reían, gritaban, hablaban o cantaban siguiendo cierto ritmo sincopado que, debido a mi absoluta ignorancia en temas musicales, tuve que describir en mi cuaderno de esta forma: «Tap, tap, tap-tap, tap, tap…»!

—¡Ea! —decía uno.

—¡Ae! —replicaba otro.

—¡Ah, ah! —seguía el siguiente.

Entonces entonaban juntos una carcajada, un abucheo o un grito, a manera de estribillo, y el ritmo proseguía. ¡Y Paz bailaba entre ellos sin percatarse de que ya sus pies no medían el compás de la sevillana sino el de sus voces juntas! Tan trastornado me dejó el fenómeno, tan boquiabierto, que al pronto intenté buscarle una explicación natural:

El alcohol, es el alcohol: bebemos, y algo nos hace unirnos al que bebe y marcar el mismo paso, coincidir en las ocurrencias, reírnos a la vez de la misma estúpida broma… Observados desde lejos, los borrachos forman un coro bastante trágico. ¿O quizá es la juventud? Es posible que se trate del afán de imitación de los jóvenes, de su deseo de tener un líder, ese espejo en el que todos se reflejan y al que obedecen ciegamente, el sentimiento tranquilizador de formar parte de una banda, blasfemar juntos, decir las mismas frases en el mismo argot… ¡En todo caso, extraña simbiosis de gargantas!

Sin embargo, en la siguiente parada, el bar del Romeral, la verdad se hizo tan evidente que nadie en su sano juicio hubiera podido negarla de haberla advertido como yo lo hice.

Paz volvió a bailar y las litronas a correr de boca en boca. El grupo se limitaba a producir ruidos y nadie decía nada: batir de palmas, taconeo de zapatos, entrechocar de vasos y botellas, golpes en la madera de la barra… ¡Pero ahora eran esos ruidos lo que me parecía extraordinario! «¡Teatro de guiñoles!», escribí en aquel instante. Me refería, lo recuerdo, a los movimientos de todos, incluso a los de Paz: ¡mecánicos, anónimos, sincrónicos, como si un titiritero experto manejara sus brazos y piernas con hilos invisibles!

Yo sabía quién era aquel titiritero de rostro espantoso.

¡El mismo ritmo, no hay duda, que el de las patas de la araña al atravesar la calle Cruz y el de las uñas de Aparicio sobre la mecedora: toc, toc, toc–toc…! ¡Oh, taimado criminal, así que eres tú! ¡Cómo te ocultas a los ojos de los inocentes! Porque ¿qué pueden saber estos chavales sobre el ruido que producen? ¿Cómo podrían percibirlo si no se perciben ya a sí mismos? ¿Y qué sabe la pobre Paz, cuyos pies redoblan en el suelo como músicos de procesión celebrando su propia muerte? Pero si supieran observar esquinadamente, como yo hago, sin alcohol en el cuerpo, algo extraño notarían en ese conjunto de golpes de cristal, madera y carne. No se trata de la música a la que creen acompañar: ellos ejecutan (perfecta palabra) su propia melodía con cada gesto, al mismo ritmo, y junto a ellos salta la araña y arañan las uñas. ¡He aquí el detalle que nadie percibe!

Era obsesionante: como el repiqueteo de las gotas de lluvia sobre una lápida o la tos metálica de una metralleta en la noche (bien las recuerdo de la guerra). Pero mejor: una vieja máquina de escribir manejada por las huesudas manos de la muerte, tecla tras tecla, escribiendo ¿qué?

Los últimos días de la vida de Paz.

El texto comenzaba, sin duda, con la palabra «Eres», señalando a la pobre chica como un rayo de luna. «Mira, observa cómo, mediante golpes sordos y repetidos, puedo machacar otra vida —me decía mi inagotable carnicero—. Su vida está bajo sus propios pies: y ella la destroza incesante.»

Cuando me marché a casa aquella noche no pude evitar repetir durante todo el camino, con la punta de mi bastón, el tenebroso aunque pegadizo ritmo: toc, toc, toc-toc (a veces ocurre así con ciertas músicas malditas, que no parecen querer abandonarnos nunca, y también con algunas ideas demasiado cariñosas, cuyos abrazos terminan por ahogarnos). Ya en la cama, recordé la leyenda de las danzas de la muerte medievales: un esqueleto invitaba a bailar a un cura, a un señor feudal, a un cortesano, a una puta y a un caballero y marcaba el ritmo con su propia guadaña. Y de todo esto nada sabía el ingenuo de Casimiro, más ingenuo y ciego que los besugos que vendía en su tienda. La pena me hizo ir a decírselo y la misma pena me lo impidió… pero también algo extraño que sucedió entonces, más terrible que todo cuanto había advertido hasta ese momento.

Le hallé al día siguiente (mañana espléndida de mayo, víspera de los festejos) sumergido en el hediondo océano del mercado de la plaza, que en realidad son tres o cuatro tiendas juntas en un semisótano, pero que parecen cien por la aglomeración de gente, la penumbra y la suciedad. Casimiro hacía rodajas un tronco de pez espada con un enorme cuchillo de sicópata mientras hablaba a voces con la señora Asunción Portero y otra amiga, que esperaban para ser servidas. Me acerqué con lentitud, pensando en qué le diría y cómo, pero sus propias palabras me evitaron el dilema. Hablaba de su hija.

—¡Qué me van a contar, si ya lo sé! ¡Un día de éstos le voy a enseñar yo a beber alcohol! ¡Se lo tengo dicho! ¡Lo que pasa es que uno no puede ir detrás de ella todas las noches, como un perro guardián!

—Claro —asentía doña Asunción.

—Diga que sí —coreaba su amiga.

—¡Además, toda la culpa no es suya! ¡Ni nuestra tampoco, porque educación ha recibido…!

Casimiro descargó otro golpe de machete en el pez espada. De vez en cuando se llevaba el dorso de la manaza al bigote color barro que le cruzaba la cara (también se había dejado las patillas largas).

—¡Cómo quieren después que eduquemos, si no somos nosotros, es la sociedad la que pervierte! ¿Qué se nos puede pedir a nosotros, los padres? ¡Trabajamos para llevarles el alimento a la boca, como los gorriones, y ellos se creen que cae de los árboles…! Pero, claro, tampoco puedes encerrarla en casa como un sultán y decirle: «Eh, que no sales hasta que cumplas dieciocho», ni decirle: «Sales, pero te diviertes como yo quiera». ¡Eso no se puede decir!

—Claro que no.

—Diga que no.

—¡El mucho cariño, el demasiado cariño, eso es lo malo! —Se limpió con la manaza las salpicaduras del pez mutilado, que le habían rebotado en la cara—. ¡Les queremos tanto que…! Y es que los tiempos son diferentes: en nuestra época no nos movíamos de una baldosa y andábamos más derechos que una vela, pero no había libertad, como ahora, y eso no estaba bien, qué caramba. Es fácil educar cuando solo tienes que decirle a tu hijo: «Trabaja». Pero ahora la juventud se divierte… y eso no es malo… Yo le he dicho a mi hija: «Estás en la mejor época de tu vida, ¡pues anda y disfrútala!».

El cuchillo, mientras tanto, no dejaba de caer. El pez era cada vez menos, las rodajas cada vez más. El afilado martillo golpeaba sobre el tajo, sin rozar en ningún momento los expuestos dedazos de Casimiro, amoratados por el frío.

Dejé de escuchar el debate para concentrarme en aquel peculiar ruido: chac, chac, chac-chac. «¡Y las réplicas de Asunción y su amiga! ¡Y las carcajadas de los clientes de la carne!

¡Y el hacha del carnicero marcando el compás, y el cuchillo del pescadero en contrapunto! Antonio, el bailarín, disfrazado de esqueleto, hubiera podido representarlo: cuchillo, risas, respuestas, una coral de verdugos. ¡Pobre Casimiro: y no se da cuenta de que su hija se hace trizas bajo su machete!» Esto escribí esa misma noche, pálido y agarrotado por la inquietud tras comprobar que el ritmo terrible de los pasos de mi asesino se había extendido como un cáncer por todo el pueblo, ¡y que incluso el padre de la futura víctima lo interpretaba a cuchillazos en su tienda! ¡Qué te iba yo a contar, Casimiro, si ya el pez espada que machacabas sobre el tajo, las preciosas pepitas de plata de su cuerpo desparramadas, la carne rosada y el ojo oscuro de la espina (otra vez la oquedad central) rotos por tu energía indiferente, te lo contaba todo a cada golpe que le dabas…!

Y el coro, burlón, cantaba:

—¡Sí!

—¡No!

—¡Qué va!

Y el cuchillo:

—¡Chac, chac, chac-chac!

Y el carnicero:

—¡Ja, ja, ja-ja!

Sintiéndome gobernado por un poderoso vértigo, escapé a toda prisa del mercado y me refugié por un instante en la plaza cubierta de sol. «En algún lugar de este pueblo —pensé, apoyándome en el borde de piedra de la fuente de los peces—, pobrecita Paz, te encuentras adherida a la telaraña, y el coro ya te amortaja con su canción fúnebre… ¡Hasta tu propio padre la canta sin saberlo, o quizá sabiéndolo pero sin quererla escuchar! ¡Y tú, pobrecita, como los sagrados pasos de las procesiones, te detienes en tu vía crucis ante esta terrible saeta!»

Unos niños, hijos de vecinos que yo conocía, jugaban cerca de la fuente. Me vieron y me señalaron con el dedo, riéndose:

—¡El loco! ¡El loco!

—¡El loco! ¡El loco del cementerio!

Cuando me volví hacia ellos echaron a correr como ciervos por la calle Principal hacia abajo. El más pequeño (no tendría más de cinco años), que iba el último, se detuvo en la esquina, antes de desaparecer con los demás, y me gritó:

—¡El... oco!

Me senté en el borde de la fuente y empecé a echarme fresco con el sombrero. Así estuve hasta que el mareo aflojó. Después lloré un poco, porque el día era tan lindo que me parecía increíble hallarme tan abandonado. Hubo un tiempo en mi vida en el que cielos como el que contemplaba en aquel momento, estampados en azul puro, me ponían alegre y de buen ánimo. ¡Mala cosa es desarraigarnos del paisaje! ¡Malo es oscurecernos cuando amanece, tener frío cuando sale el sol, hallarnos solos en la muchedumbre! ¡Malo sentir que ni el sol, ni la primavera, ni el mar de verano ni la risa de los niños nos entran dentro, porque no les pertenecemos! «Pero también lloré por ti, Paz, tan inocente y solitaria en este mundo —anoté en mi cuaderno esa noche de angustia—. ¡Qué fácil sería salvarte si todos percibiéramos los mismos detalles!» Y añadí:

Nuestras vidas están escritas con la sutileza con que un guitarrista rasguea una guitarra sin cuerdas. ¡Hay que saber oler flores invisibles, libarlas con los ojos y saborear gota a gota esa miel delicada! ¡Todo es, de repente, tan importante entonces! Lo más ínfimo resulta decisivo. Lo diminuto, contemplado desde lejos, forma parte del gran dibujo: cada acontecimiento es una pincelada, cada gesto un color nuevo. Pero ¿qué sabe la cuenta cristalina de la figura que forma al girar con otras en el caleidoscopio?

Esa misma noche, como yo había supuesto, se completó un poco más la inexorable endecha. Era una declaración, quizá de amor o quizá de muerte, que todo el pueblo le dedicaba a Paz sin ella saberlo.

—¡Mía! —decía esa noche la voz del pueblo con sus muchas bocas. Un niño salía de un portal a jugar y lo decía. Una vieja elevaba a la luna sus ojos blancos y lo decía. Un pescador escupía en el suelo un trozo de cigarrillo y lo decía. Iba de labios a oídos como un telégrafo invisible, se entrometía en las conversaciones, de corrillo en corrillo, graciosa y mágica como un acento regional, entre murmullos, risas, piropos, llanto de bebés, estornudos y blasfemias—: ¡Mía! ¡Mía…!

¡Y yo, el único traductor de la canción que mi verdugo componía, intentaba predecir el texto completo! Recordaba la palabra del día anterior, «Eres». Había que añadirle la siguiente: «Eres mía». Como en esas sesiones espiritistas donde el muerto mueve los dedos de los vivos para formar frases, así se movía el pueblo en una sola boca trémula, a las órdenes de aquel fúnebre autor.

«¡Para!», fue la exclamación que más escuché la mañana del día siguiente, el primero de las fiestas de los Reyes de Mayo. «¡Para!», se gritaba por calles, plazas y ventanas. «Siempre»: intuí que ésta era la palabra final, reservada para la noche. Cuando esa palabra, como una golondrina negra, recorriera cada casa, de voz en voz, lanzada al aire por todos los habitantes de Roquedal, la niña Paz alcanzaría la paz eterna, simbolizada ya en el íntimo significado de aquella expresión. El verso, pues, sería: «Eres mía para siempre», y quedaba tan solo una palabra para que llegara a cumplirse.

Decidí hacer lo único que se me ocurrió: impedir que la muchacha bailara la tonadilla de su propia muerte.

Sabía que, en cuanto comenzara la *arrastrá* de los Reyes de Mayo y el Rey gigante de rostro negro se llevara a su real consorte calle Principal abajo, hacia la playa, Paz y sus amigos correrían tras ellos, como hace la juventud del pueblo. Probablemente se detendrían en la Trocha para reanimar el cuerpo con unas litronas antes del verdadero julepe, que tendría lugar sobre la arena, de chiringuito en chiringuito, donde se desarrollaban las *parás*. Así que me vi en la necesidad de adelantarme a los acontecimientos.

A eso de las seis de la tarde, dos horas antes de la arrastrá, me instalé cómodamente en una mesa vacía del bar de la Trocha y le pedí un poleo a Joaquín.

—¿No se anima a ir a la plaza, don Baltasar? —me dijo el buen hombre—. ¡Para ver a los Reyes!

—Ya he visto la fiesta demasiados años, Joaquín.

—Pero siempre se puede hacer algo nuevo. Bailar en las parás, por ejemplo…

—Hoy no debería bailar nadie —repliqué, lúgubre.

—¿Y eso?

Limpiaba el fondo de un vaso con el trapo mientras me hablaba, y percibí, aterrorizado, el chirrido de mi grillo negro, la voz rítmica e infalible de mi enemigo: ñic, ñic, ñic-ñic. Me entró una dentera helada: como si escuchase a un cadáver deslizar las uñas por la tapa del ataúd. ¡Y el pobre Joaquín, involuntario tocador de la siniestra zampoña, sin enterarse!

—Tú sabrás —le dije con los ojos muy abiertos.

—¿Yo? ¡Yo nunca sé nada, don Baltasar! —riose.

«Por eso van a matar a Paz —pensé—, porque aquí nadie sabe nada salvo yo.»

Cuando Joaquín me sirvió el poleo humeante, saqué mi cuaderno de notas (mi cuaderno de caza), arranqué una página y escribí algo en grandes letras de molde. Doblé la página una, dos, tres y cuatro veces; me hallaba inmerso en esta operación cuando mis oídos captaron el tictac del reloj de mi asesino: una gota que escapaba del grifo mal cerrado del fregadero, tras la barra: plic, plic, plic-plic. «¡Te burlas de mí! —pensé—, ¡me desafías!» Como única respuesta, un moscardón vino a estrellarse contra el sucio cristal de la ventana que tenía más cerca; el ruido que producía era como el de unas diminutas castañuelas: clinc, clinc, clinc-clinc. «Intentas asustarme —deduje—, o estás comenzando a ensayar con la orquesta para la gran sinfonía final.» La ventana, entrecerrada, se abrió con un ligero golpe de brisa y las páginas de mi cuaderno empezaron a pasar una a una con un ruido inusual, sincopado: zip, zip, zip-zip. «¿Es que tratas de decirme que desista? ¿Quieres que me rinda? ¿Te crees tan seguro de que Paz será tuya, igual que Guernod y que la señorita Bernabé? ¡Ah, pero este viejo te va a dar lecciones de música!» Cuatro petardos estallaron en ese momento: eran el comienzo de la larga noche de fuegos de artificio, pero yo sabía que significaban otra cosa; para mi oído fueron la desafiante y violenta respuesta de mi adversario, enfadado por mi terquedad: ¡bang!, ¡bum!, ¡bang-bum! «Ajá: no te sientes tan seguro de tu poder, ¿verdad? Mis palabras te exasperan mucho más que a mí las tuyas.» Los cohetes seguían estallando a lo lejos, en la plaza; su ritmo era como el grito de guerra de un ejército: ¡bang!, ¡bum!, ¡bang-bum! «Pues que gane el mejor.»

Mi enemigo estaba nervioso, igual que yo. Ambos sabíamos que aquélla era la batalla decisiva. Terminé de doblar mi nota y aguardé, mientras bebía el poleo a lentos sorbos. «Ahora necesito una mano inocente, como dicen en los concursos.»

Y en ese momento entró en el bar Manolo Guerín, el poeta solitario que vive más allá de la torre de piedra, con su pelo blanco y ralo y sus mejillas coloradas. Le llamé como a un camarero:

—¡Manolo!

—Hombre, don Baltasar.

Me puso la mano de la compasión en el hombro. En cualquier otro momento lo hubiese despreciado, pero entonces lo necesitaba.

—¿Me harás un favor?

—A mandar.

Su aliento apestaba por igual a tabaco y alcohol, pero era buen hombre. Y a mí me interesaba más su bondad que su aliento. Le mostré el papel doblado:

—Entrégale este billetito a la hija de Huertas, el pescadero. ¿La conoces?

—¿Paz?

—La misma. Vendrá por aquí con un grupo de amigos cuando comience la arrastrá. En cuanto la veas entrar, le das esta nota. Pero, escucha, Manolo: no le digas que es de mi parte.

No me gustó nada la sonrisa que me fabricó con lentitud, mirándome fijamente, ni su silencio de complicidad. Era vergonzoso, humillante para mi dignidad, que Manolo hubiera equivocado de aquella forma mis intenciones. Pero el ladrón cree que todos son de su condición, ya se sabe, y del propio Guerín podría decirse mucho (ahí está su relación escandalosa con Carmela Cruz, la del hostal), y más desde este último verano, cuando se lió con una escritora madrileña veinte años más joven que él que vivía temporalmente en la casa de los Gómez Osti, frente a la playa. No es por venganza por lo que hago constar todo esto, pero es verdad que aún me escuece el recuerdo de sus ojos ranurados brillantes de burla.

—Piensa lo que quieras, pero entrégale esta nota —le dije entre dientes.

Se llevó los amarillentos dedos a la barbilla y se la frotó con ademán de sabio.

—Lo haré —asintió—. Y no voy a leerla, don Baltasar. Pero sepa usted dos cosas: una, que me debe un favor…

—De acuerdo.

—Y la otra, que como la niña se cabree… le digo de quién procede. No quiero recibir broncas ajenas.

—Muy bien, pero mucho ojo, porque tienes que entregársela en cuanto entre en el bar, Manolo. No vale que se la des después.

Movió la cabeza con pesadumbre. Él no lo supo, pero su cabeza hizo un giro a la izquierda, otro a la derecha y dos giros rápidos finales. ¡Retablo de los terrores era éste, donde mi enemigo manejaba todas las marionetas y yo, su único espectador, tendría que impedir que la farsa terminase!

—¿Me contará después de qué va? —dijo Guerín.

—Ojalá —repliqué.

No me entendió, y yo tampoco quise explicarme. Además, Joaquín había puesto en ese momento la televisión, y el volumen, que se hallaba muy alto, nos lanzó a los tímpanos los gritos de una jovencísima actriz a la que alguien asesinaba a puñaladas (era una película de crímenes). Los alaridos fueron cuatro: dos sueltos y dos unidos al final. La chica caía sobre la hierba arrastrando con su cuello una bufanda de sangre. Joaquín cambió de canal y bajó el volumen. Comprobé con gran calma que el clavel marchito de mi solapa seguía en su sitio. «Es inútil que trates de asustarme —pensé—, lo único que me da miedo de nuestra pelea es la derrota.»

Poco después llegaron los clamores desde la plaza y el grito unánime que da comienzo a la carrera de los Reyes: «¡Arrastrá!». Miré por la ventana: estaba atardeciendo. La escasa gente que había en el bar se asomó para ver pasar a los muñecotes. Manolo Guerín, mi mensajero, continuó en la barra puliéndose a solas una cerveza. Yo tampoco me moví de mi mesa. «¿Y si esta vez les da por no venir a la Trocha?», me asaltó aquel temor. «Pero vendrán, porque así lo querrá Dios.» Pasaron los monarcas (solo distinguí el vuelo de los mantos rojos), y la gente del bar, en su mayoría jubilados, aplaudió y jaleó a la comitiva. «Vienen bonitos este año», dijo uno. Tras los Reyes, la estampida negra de los Nobles, con su aspecto de tunos enlutados, corriendo calle abajo y golpeando los cristales de las ventanas al pasar. «¡Qué graciosos! —exclamó Joaquín—, ¿y por qué no se dan en las narices?» Hicieron el mismo ruido que una bandada de cuervos (era curioso: nunca se me había ocurrido aquella comparación a pesar de que llevaba viendo la misma fiesta desde mi infancia). Y después de los Nobles, la inmensa juventud del pueblo, los gritos agudísimos de las niñas, las suelas de los distintos zapatos al golpear la calle, el desorden de la alegría, ¡pero todo bajo el imparable compás de mi enemigo, golpes, gritos, risas, música, batir de palmas! «Ya viene la víctima al holocausto», pensé.

En ese instante penetró una tromba de carcajadas en la Trocha, y en medio, como llevada por porteadores, el espeso pelo bien peinado, un jersey de cuello de tortuga color rojo y vaqueros ceñidos, se hallaba Paz. A su alrededor el estrépito era tan fuerte que pensé que toda la cristalería de la barra se rompería con cuatro ruidos rítmicos.

Paz venía guapa y lista para morir.

El grupo se detuvo en la barra, le hicieron el pedido a Joaquín tras varios equívocos y nuevas risas, y se dedicaron a hablar entre ellos a voz en grito, como si estuviesen solos.

No era Paz la única chica esta vez: le daba la réplica una adolescente regordeta, feúcha, pintarrajeada y gritona. Pero era obvio que el centro de la atención seguía siendo la hija de Huertas.

Surgieron las litronas como trofeos en las manos, y Joaquín apagó la televisión. Inmediatamente comprendí que se dirigía a la barra para poner los casetes de sevillanas y atraer, así, más público joven a su local. Hubiera sido una pérdida de tiempo decirle que no lo hiciera, pero, de haber tenido un átomo de sensibilidad, Joaquín se lo habría pensado mejor. «¿No ves esas bocas, esos dientes lustrosos, esos cuellos que muestran la nuez con cada trago de cerveza? –pensé–, y sobre todo, Joaquín, ¿no ves esos ojos hambrientos de sangre? ¡Mi asesino quiere que la víctima baile! Cuando ella baile, el pueblo entero cantará: "¡Siempre!", y Paz morirá, no sé cómo, pero morirá ineludiblemente.»

El frenético ritmo que acompañaba a Paz me había hecho olvidar por un momento a Guerín. ¡No le había entregado la nota! Lo busqué con la mirada, pero el bar, una vez concluida la carrera, empezaba a abarrotarse y no pude hallarle. «Manolo, maldita sea, ¿dónde te has metido?», me indigné. Comenzaron a repicar las guitarras en los altavoces de la casete, y una pareja de voces gitanas desató la introducción de la primera sevillana. Casi por ensalmo, los brazos de las chicas se levantaron y ejecutaron lentos arabescos en el aire. Paz estaba entre ellas: los chavales le habían dejado espacio, y la vi mover las manos con delicadeza, flexionar las muñecas, entornar los ojos, disponerse a taconear los primeros compases. El jersey se había alzado con sus gestos y, breve como era, descubría pícaramente su pequeño vientre y el ombligo. «¡Es una mascarada! ¡Él los mueve a todos y nadie se da cuenta!», pensé, atormentado.

—No bailes —dije con los ojos fijos en la pobre niña—. No bailes.

Era lo mismo que había escrito en la nota que Guerín no le había entregado. Me levanté de la mesa como un resorte dispuesto a hacer cualquier cosa para impedir que se consumara la tragedia.

Pero había demasiada gente y no llegué a tiempo. Paz bailó.

Y, por cierto, magníficamente.

Las palmas y el coro de risas la cercaron como una empalizada; recibí cuatro empujones, dos sueltos y dos juntos, y tuve que volver a sentarme. Me sentí viejo y fracasado contemplando cómo mi enemigo hacía girar a Paz en un torbellino negro como un disco de gramófono sobre cuya superficie, insensiblemente, se clavara la aguja arrancándole a arañazos la música.

—¡Siempre! —exclamó un hombre gordo junto a mí; parecía hipnotizado contemplando el baile.

—¡Siempre! —coreó una chica de gruesos labios que charlaba con otros chicos en una mesa cercana.

—¡Siempre! —La palabra pasaba de boca en boca, como las cervezas. Pronto, toda una mecha encendida con aquella palabra rodeó la figura jadeante de Paz: «¡Siempre! ¡Siempre! ¡Siempre!». «El verso concluye —pensé—, y la guadaña cae.»

Terminaron las sevillanas y uno de los chavales del grupo se acercó a la hija de Huertas y se puso a charlar aparte con ella. ¡Qué gran sorpresa la mía al descubrir que se trataba de Ángel Diosdado, el hipócrita que se había reído de mí semanas antes, mientras vigilaba la casa de Guernod! Paz le escuchaba con gran atención y asentía de vez en cuando. Aunque otros chavales del grupo les molestaron, ellos siguieron con su conversación. Al cabo del rato había dos grupos: Paz y Ángel por un lado y el resto por el otro. «¿Qué querrá ese sinvergüenza con la chiquilla?», me pregunté.

No tuve que esperar demasiado para saberlo. De repente, Paz y su nuevo amigo se despidieron de los demás y se marcharon. Decidí seguirles. Cuando me iba, divisé a Guerín en la barra, medio borracho frente a un vaso de vino. Él no me vio. Reprimí una maldición pensando que, en realidad, Manolo no tenía la culpa. «También está solo —comprendí—, pero a él le resulta insoportable.» La soledad ansiaba compañía, y la muerte ansiaba la vida. Mi asesino, por definición, era el más solitario de los seres: por eso los ansiaba a todos. Mi asesino era el único y verdadero culpable: él era quien pecaba, los demás cometíamos faltas perdonables. Con esos pensamientos salí del bullicio del bar y seguí a la pareja a prudente distancia por las calles engalanadas de bombillas.

Enseguida supe que se dirigían a la playa. «A las parás, donde Paz bailará su última danza sobre una arena formada por incontables, minúsculos cráneos de tierra —pensé—. Y allí acabará el canto fúnebre.» Improvisé una estrofa sobre el mismo tema:

> *Este cantar es tu muerte,*
> *a pesar de don Baltasar*
> *vendrás a bailar al mar,*
> *¡eres mía para siempre!*

Pero una nueva sorpresa me aguardaba: después de adquirir otra litrona en el primer chiringuito de la playa, Paz y su amigo se dirigieron hacia el espigón, esto es, a la zona opuesta a la de las parás, que es la que abarca todo el tramo de costa hasta la torre de piedra. Yo sabía que el espigón era un lugar maldito desde mucho antes de que aquel sustituto del doctor

Torres, Marcelino Roimar, se suicidara arrojándose por él hace dos años. Desde luego, no había escenario mejor en todo Roquedal para el próximo crimen de mi despiadado enemigo.

La pareja se alejaba cada vez más. La oscuridad de la noche del mar les dejaba paso y se cerraba tras ellos. Escuché la distante risita de Paz, mecánica, rítmica como un juguete de cuerda: ja, ja, ja-ja. Sin pensármelo dos veces, me quité los zapatos y les seguí, avanzando en calcetines por la arena.

En varias ocasiones creí que me había perdido: la noche era enorme e inclemente y no había ninguna luz, ni siquiera las de las barcas de los pescadores en el horizonte. Al cabo del tiempo percibí un suave ritmo de tambores por cima del respirar de las olas. Procedía de un lugar muy próximo al espigón, de manera que ya era posible advertir el moribundo y escueto cuerpo de piedra de éste introduciéndose en el mar. Rocas cercanas ofrecían un escondite excelente, y hacia allí me dirigí.

Aclararé antes que no estuve contemplando la escena que voy a describir a continuación por otro motivo que el del buen desempeño de mi labor detectivesca: ya bastante sufría con el reúma, el relente del mar, las horas tardías y, en fin, todas las semanas que llevaba agotándome, como para ponerme en aquel momento a hacer de mirón. Y habiendo hecho constar esto, diré que en un claro de arena apenas desvelado por el cuarto creciente de la luna y rodeado de rocas descubrí a Paz y a su amiguito Ángel, y que al principio pensé, ingenuo de mí, que el chaval estaba herido o sufría de alguna forma, porque se hallaba tendido bocarriba en la arena a los pies de ella y gemía y se retorcía como si necesitara ayuda urgente.

Pero un segundo después observé que tenía ambas manos apoyadas en la bragueta.

La chiquilla, por su parte, le replicaba con audacia: de pie entre las piernas de él se despojaba con tranquilas e insinuantes maniobras de sus pantalones, y aun de sus bragas, sin dejar por esto de mover las ya desarrolladas caderas. «¿Qué pensarías de tu desahogada hija si la vieras ahora, Casimiro?», me dije. La música —un tamtan agónico y primitivo a cuyo ritmo se desnudaba Paz— manaba de los altavoces de una radiocasete portátil que había sobre la arena (y que yo no recordaba que llevaran ellos, así que hube de suponer que mi adversario lo había previsto todo). El casco de una litrona sobresalía como un hongo sucio junto a la casete.

—¡Ah…! ¡Ah…! ¡Eso es…! —gemía el hijo de Diosdado.

—¡Tam, tam, tam-tam! —sonaba la música.

«Todo formaba su mortaja —escribí días después—, cada objeto en la arena era como una flor en su tumba. Las patas de una inmensa araña la rodeaban. El coro gritaba desde el espigón —¿y qué otra cosa puede decir el mar como no sea la palabra "Siempre", arrastrando la s con un acento de guijarros triturados?—. Y ella, aún cubierta con el jersey, echándose el pelo hacia atrás, se hallaba preparada para el sacrificio. La oía reírse, pero eran boqueadas. Se movía al ritmo de los tambores, pero he visto a los peces hacer lo mismo cuando son arrancados del agua. Todo en ella era pura agonía.»

Cerré los ojos, en parte por pudicia y en parte porque me escocían. Cuando volví a abrirlos, Paz ya se había quitado los pantalones, las bragas, el zapato y el calcetín del pie izquierdo y trajinaba con el derecho, elevando la pierna. Fue entonces cuando decidí intervenir, y salí de mi escondite gritando desaforadamente y agitando el bastón y el puño cerrado.

Ahora, y solo ahora, puedo ser capaz de admitir que mi actuación fue un poco ridícula. Recuerdo que grité, en efecto, pero «gritar» no describe adecuadamente todos los saltos que daba, los amagos quijotescos de golpear seres invisibles con mi bastón, mi enconada furia y mis deseos de defender la vida y sorprender a la muerte soñando, para matarla.

—¡No! ¡Atrás! ¡No bailes! —dije, entre otras cosas—. ¡Deja que me enfrente a él! ¡Sabrá quién es Baltasar Párraga…!

«Gritar» no define mi ánimo exultante, desprovisto de temores por primera vez desde la muerte de mi esposa, ni la lección que obtuve aquella noche y que aquí ofrezco de buena gana a quien le interese: solo el valor de la temeridad es digno aliado en un combate difícil. A veces, una sola locura a tiempo es preferible a cien razonamientos demorados. El primer golpe (nos enseña, ay, la ética, por desgracia) lo asesta siempre el mal, pero, una vez en pugna, ¿qué nos impide a nosotros ser también los primeros en devolverlo? Así pues, me lancé a correr y a gritar como un condenado del infierno a quien Dios, por especialísimo privilegio, indultara de repente.

A partir de aquel momento solo recuerdo imágenes dispersas: Paz chilló y cruzó las manos sobre sus partes íntimas; Ángel no dijo nada, pero se levantó de un salto y echó a correr. Ella corrió tras él, no sin antes recoger el pantalón para cubrirse mejor lo que ocultaban sus manos. Creo que les di un susto de muerte. Y creo que también a la muerte le di un susto de muerte.

Cuando de Paz ya solo quedaba la idea de su nombre, una vez apagada la casete a bastonazo limpio, destrozada la litrona y recobrado el control, comprobé que aquel obsesionante ritmo había casi desaparecido del mundo. ¡Casi!, porque aún lo escuchaba bajo mis pies, empequeñecido pero amenazador:

—Crec, crec, crec-crec.

Me arrodillé en la arena y me encorvé todo lo que me permitió el lumbago, para ver mejor: ¡allí estaba, redondo y negro como una hostia de misa satánica (aunque, ahora que lo pienso mejor, era elíptico como un ojo de pez), un pequeño cangrejo que se alejaba dejando un curioso rastro sobre la arena: cinco líneas paralelas sobre las que, de trecho en trecho, sus pinzas grababan oquedades!

«¡Ah, mi siniestro compositor —pensé—, ¡así que éste es el pentagrama de tu espantosa música!» El cangrejo corría de perfil a toda velocidad, repiqueteando con sus pinzas al tiempo que registraba en la arena las notas del odioso ritmo. Pero no me preocupé demasiado: yo era más rápido, y solo tenía que extender la mano para cazarlo con mi sombrero. Eso intenté hacer.

¡Ay, los mortales somos probados una y otra vez en este valle de lágrimas: se examina así si valemos para el de la eterna alegría! Lo que sucedió entonces constituyó una cruel prueba del destino que el metal del que estoy hecho recibió como un martillazo en un yunque: tropecé, caí de bruces en la arena y mi asesino me esquivó y se introdujo con rapidez por una rendija entre dos rocas tan negras como él, fuera de mi alcance.

Las rocas formaban parte de un promontorio alargado y estrecho que penetraba en el mar por un lado y en la arena por otro. Gemebundo y dolorido, amén de fatigado y torpe, me acerqué todo lo rápido que pude al promontorio.

Deduje que sería absurdo que pretendiera escapar por el lado que daba a las olas. La salida hacia tierra, sin embargo, una oquedad poligonal y oscura (¡la oquedad central!), parecía mucho más probable. Allí decidí esperarle, bastón en mano. No sabía qué forma escogería esta vez para huir, pero si era algo que pudiese ser golpeado, a buen seguro que en aquel lugar iban a terminar sus crueles días. ¡Ay, mi habilísimo oponente había razonado lo mismo que yo!

Al cabo de unos minutos eternos emergió de la negra abertura un aliento amargo de pez podrido, una hedionda brisa expulsada por las rocas como el aire de un fuelle (se me ocurre otra comparación que me callaré por ser de mal gusto): duró unos pocos segundos y se desvaneció enseguida ante mis asombrados ojos y mi no menos sorprendido olfato. «¡Así es como te escapas!», comprendí. No hay asesino cabal que no tenga planeada su fuga por si las cosas se tuercen, y lo que había ocurrido era un buen ejemplo de esta verdad. Era inútil que intentara atraparlo en aquel momento: ¿cómo arrestar, enjuiciar y condenar a un soplo mortífero y vigoroso sin encarnación alguna? Solo Dios puede encarcelar a un alma.

Pero mi intuición detectivesca imaginó una celada casi infalible, un golpe maestro para derrotar a mi adversario ahora que tan seguro se debía de sentir con su nueva apariencia. Decidí poner en práctica mi plan en los días posteriores. Solo me agobiaba un temor, aunque pequeño.

Si fracasaba, la próxima víctima sería yo.

4

RONDA Y CAPTURA DEL ASESINO

«Desafíalo en tu terreno —me decía una voz interior—. ¡Ven y lucha conmigo!», grité en mi pensamiento. Sabía lo que debía hacer: no era demasiado difícil, pero requería absoluta concentración y exquisita destreza manual.

La misma noche de mi encuentro con el cangrejo, ya en casa y después de tomar las notas pertinentes, me dediqué a prepararlo todo. Entré en la pequeña salita de estar de la planta baja, en la que apenas paso el tiempo desde que murió Eloísa, y abrí la ventana que da al maltrecho huerto amurallado. Desempolvé la mesa camilla, desnuda de manteles, que constituía el único mobiliario de la habitación. Cogí el tablero de ajedrez, que se combaba aburrido en uno de los despenseros, y lo coloqué sobre la mesa, aunque la ondulación de la madera no permitía mantenerlo estable. No era extraño que estuviese tan estropeado, ya que el ajedrez no acepta solitarios, como los naipes, ¿y con quién iba a jugar yo en mis ratos de ocio? ¡Ahora, sin embargo, contaba con un potente contrincante!

Después vino lo más delicado: la copa con las cenizas de mi padre.

Mi padre quiso que incineraran sus restos y los guardara yo. Decía que estaba harto de vivir cerca del cementerio y no deseaba seguir allí después de muerto. La historia de nuestra familia, desde que el primer Párraga se estableció en esta casa solariega en las afueras de Roquedal y compró los terrenos adyacentes, ha sido la de una lucha constante contra la muerte: el camposanto, al principio pequeño, iba creciendo cada vez más conforme nosotros perdíamos tierras. Después de la guerra civil, el pueblo de los muertos nos desplazó hacia el otro lado de la carretera (antes poseíamos propiedades en ambas zonas), y nos redujo al habitáculo de nuestra propia casa. Ahora, cuando el único Párraga que queda soy yo, el cementerio ha terminado convirtiéndose en un lugar excelente para vivir, lleno de flores, lápidas limpias y mármol moderno, y nuestra casa ya no es nada más que un viejo cementerio.

No se me ocurrió mejor instrumento que una cuchara sopera para coger, con suma delicadeza, un puñado de la ceniza que, muchos años atrás, me había mirado con ojos amables y enseñado algunas de las cosas que sé sobre la vida. Deposité la pirámide de suave polvo gris sobre la mesa, y, ayudado por una cucharilla de café, comencé a distribuir el gran montón (debería decir el «montón padre», pero ocasionaría molestos equívocos) en pequeños terrones, dieciséis en total, rellenando dos de las hileras de un extremo del tablero, en la misma disposición que las fichas del ajedrez al comienzo de la partida: un poco de ceniza en cada escaque hasta completar, como he dicho, dieciséis. Había calculado bien desde el principio y no me hizo falta echar mano de más polvo, así que cubrí de nuevo la copa y la devolví con meticulosidad al anaquel correspondiente, donde están las velas y el retrato blanquinegro de mi progenitor, Raimundo Párraga. «Mano a mano otra vez, papá –le dije al bondadoso rostro de opulento bigote–, luchando contra la muerte, como siempre.»

Me senté ante la mesa, el bastón apoyado en una esquina, el sombrero colgado de la silla, y dispuse el tablero de forma que las fichas de ceniza se hallaran de mi lado, ya que las piezas con que jugaría mi asesino serían invisibles. Comprendí que la simetría del conjunto era adecuada: mi adversario, que movería primero, tenía las blancas (más que blancas, transparentes); yo llevaría las negras (las grises).

Contemplé, a través de la ventana abierta, el débil cuarto creciente de la luna sobre la línea irregular del muro del huerto. Me concentré en el tablero. Las pirámides de ceniza se hallaban tal y como las había colocado. Esperé.

Esa noche no sucedió nada más. Cerca del alba, la oscuridad ya derretida, cerré la ventana y me fui al dormitorio, abrumado por un sueño invencible. Fue el primer día, desde que había comenzado a investigar este caso, en que logré dormir bien, mecido por la satisfacción de haber salvado, al menos, a una de las víctimas.

Desperté, sin embargo, tarde y triste, traspasado el mediodía, con resabios amargos en la boca y la memoria. Fui a la cocina, me preparé un poleo y una tortilla francesa y regresé a la salita: las fichas de ceniza continuaban intocables; la ventana, cerrada.

Subí por las escaleras hasta la segunda planta de la casa, que apenas visito desde la muerte de Eloísa, mi mujer. Allí estaba el dormitorio grande (yo ahora duermo en el de la servidumbre, abajo) y las habitaciones de los niños que nunca tuvimos. En la última de todas me senté largo rato junto al viejo maniquí de mujer con la cabeza calva recostado en el camastro. Me tranquiliza esta figura depauperada y quieta con sus hermosas cejas, sus ojos pintados y los labios del mismo color que la piel. Las extremidades, enroscadas al tronco, están incompletas: faltan las manos y los pies. Lo había conseguido varios años antes, durante el traspaso de la tienda de ropa de los Gómez Osti, que ahora viven en la ciudad. Me la regalaron desnuda y así la conservo. En el pueblo me creen loco, entre otras cosas, porque vivo con este maniquí y porque colecciono grandes piedras talladas por el mar, de las muchas que pueden encontrarse en los alrededores del espigón, y las deposito después a ambos lados de la vereda que conduce a la entrada principal de mi casa. Yo me río al pensar en los cristos torturados y las vírgenes mustias de yeso, los retratos inquietantes de familiares muertos y las presencias no menos inquietantes de familiares vivos que colecciona la mayoría de la gente del pueblo. «Pobres —pienso a veces—: si todos vivimos con la muerte delante y los recuerdos detrás, ¿qué importancia tiene lo que coloquemos en medio?» Sin embargo, en aquel momento ni siquiera mi maniquí me ayudó a disipar la angustia que sentía.

—¿Cuál es la causa del mal? —le pregunté en voz baja.

Sus ojos pintados miraban al techo. No supo responderme. Después, en el comedor, me puse a escribir.

Eloísa: no puedo olvidarte. Papá: ya sabes que siempre estarás conmigo. Mamá: no me has abandonado nunca. Pero nada conservo en realidad de vosotros, salvo tu ceniza, papá: lo demás es invisible. Porque, decidme: después de la muerte de mi hermano Pedro en América, y teniendo en cuenta que mi hermana Juani, que vive en Madrid, se halla cada vez más vieja y olvidadiza, ¿en qué otro lugar persiste vuestro recuerdo sino en forma de pequeños pensamientos invisibles alojados en mi memoria? ¿Qué sois —qué somos todos— sino ligeros detalles? Y sin embargo, sin los detalles que vosotros formáis en mi interior, sin esa levísima (aún más tenue que la ceniza o la arena) huella de vuestra existencia, ¿podría yo, acaso, seguir viviendo? He aquí el secreto que Baltasar Párraga quisiera enseñar a los demás: ¡contemplad las cosas con ojos atentos y comprobaréis que nada de cuanto os rodea es importante, y que una vez cribada toda vuestra vida solo queda sobre el cedazo una finísima verdad, un fragmento tan nimio que desaparecería con un soplo! ¡Contemplad ese detalle y decid: eso es lo IMPORTANTE!

Por último, y en previsión de lo que pudiera ocurrir, me pareció conveniente redactar una breve nota para el cabo Marchena, de la guardia civil de Roquedal. En ella expuse todo lo sucedido:

Estimado amigo Marchena. Desde abril de este año se han cometido en nuestro pueblo, por lo menos, dos crímenes sanguinarios. Mi labor estratégica ha impedido, por otra parte, que se consumara el tercero. Me refiero a las muertes de Jacinto Guernod y María Auxiliadora Bernabé y al frustrado intento de asesinato de Paz Huertas Mohedano. Todos los crímenes han sido perpetrados por el mismo individuo: un audaz y taimado ascsino que solo puede ser percibido (y, por tanto, atrapado) si atendemos a los detalles menos evidentes, a las pistas más sutiles: la afilada uña de un viejo, por ejemplo, o una telaraña, o incluso un ruido que se repite machaconamente.

Durante la semana que entra, querido Marchena, tengo previsto atrapar a este versátil sicópata en mi propia casa: le he tendido una habilísima trampa en la que no dudo que terminará cayendo. Pero si, en contra de mis esperanzas, es él quien se alza con la victoria (y mi derrota, qué duda cabe, significará mi muerte segura) quisiera, al menos, que estas líneas que ahora le escribo sirvieran para informarle de lo sucedido, con el fin de que, cuando mi asesino vuelva a asestar otro golpe sobre nuestro inocente pueblo, sepa usted con quién se enfrenta y quién es el verdadero culpable.

Y si le interesa conocer su identidad, le diré una palabra más, mi querido cabo Marchena: es posible que mi asesino sea completamente imaginario, pero sus crímenes son muy reales. Su identidad son sus crímenes. Investigue sus crímenes, amigo mío.

Su seguro servidor,

BALTASAR PÁRRAGA

Sin embargo, nunca llegué a entregarle esta misiva al cabo Marchena, y creo que se debió a que, en realidad, confiaba en mi victoria.

Pasaron dos noches sin que nada más sucediera. La tercera, inolvidable, me senté como siempre frente al tablero de ajedrez con mis fichas de ceniza, abrí la ventana del huerto y me puse a esperarle. «Ven. Vamos. Ven hoy», pensaba. Me sentía excitado como el cazador que aguarda en su puesto la aparición de la pieza soñada.

Y llegó.

Al principio fue un frío leve, una brisa que, al entrar por la ventana, apenas poseía la suficiente fuerza como para tirar de los vellos de mis brazos y los hilos de mi ánimo. Aun así, mi cuerpo se tensó y la carne se me puso de gallina. Miré hacia la penumbra del huerto, el cielo cortado por la uña de la luna. «Aquí está», pensé. Escuché los ladridos de Pastor, mi viejo perro, que me avisaba desde el patio. «Aquí está», pensé otra vez.

Entonces la brisa creció y penetró por la ventana una hedionda ráfaga de aire muerto. Supe que venía directamente del cementerio. «Como es lógico», me dije. Observé el tablero: las cenizas de mi padre correspondientes al peón c7 avanzaron, por la fuerza de aquel repentino soplo, dos casillas adelante, hasta c5. El enemigo me comió este peón dispersándolo en el aire y la partida continuó desarrollándose. Mis fichas de ceniza iban desapareciendo del tablero conforme entraba el ventarrón. Yo no podía comer ninguna pieza de mi enemigo, porque ésas son las leyes de la muerte: mi única posibilidad consistía en que mi rey (la ceniza del escaque e8) lograra sobrevivir hasta el final. Anoté todos los movimientos de esta descabellada partida, la más importante que he jugado nunca:

Blancas: Él. Negras: Yo.
1.d4, c5; 2.dxc, d5; 3.e4, g5; 4.exd, e7; 5.dxe, a5; 6.exf+, Re7!; 7.exg8=D, h5; 8.Dxh8 y Dxh5 y Dxg5+ (¡¡enorme voracidad la de mi adversario, que ni siquiera respetaba las reglas y hacía tres jugadas seguidas!!), Re6!! (¡mi rey seguía dispersándose por el tablero, pero se salvaba!); 9.Dg5xd8 y Dxc8+, Rf6!! (escapando así de la criminal dama); 10.Dxb8 y Dxa8 y Dxa5, Ah6; 11.Dc7 y Dxb7 y Dh7 y Dxh6+, Rf5!! (¡mi rey se salva por los pelos!). Las blancas abandonan (el viento comenzó a debilitarse y se extinguió por completo).*

* Cuando reproduje la partida sobre el tablero con piezas de verdad, observé que los movimientos del peón coronado en dama de las blancas (la ficha que más usó mi enemigo) imitan un maltrecho símbolo matemático del infinito: ∞, ¡muy propio!

«¡Hemos ganado, papá!», pensé, triunfante. Aún quedaba una leve pizca de ceniza procedente de la ficha de mi rey en f5. La recogí con el índice y el pulgar. Allí estaba: encerrado en aquel mínimo fragmento de polvo gris.

—¡Ya eres mío! —exclamé.

La carrera hacia el pueblo fue una pesadilla, y casi resultó mortal para mi fatigado corazón, pero era de todo punto evidente que tenía que darme prisa. Escogí el viejo camino del bosque en vez de la carretera, para llegar más rápido. «Por usted, María Auxiliadora —pensaba cuando me sentía desfallecer—, y también por usted, Guernod, qué caramba. Tampoco usted era culpable. Nadie debería morir. Toda muerte es un crimen, un delito oculto. El asesino podrá ser nimio, ligero y sutil, pero somos capaces de capturarlo.» Llegué al pueblo sin aliento, con el pecho agarrotado por el esfuerzo. Además, cuanto más me movía, y a pesar del sumo cuidado que procuraba tener, más ceniza se me escapaba por entre los dedos índice y pulgar de la mano derecha, hasta el punto de que apenas sentía ya la presencia de mi asesino bajo las yemas. Divisé luces en el cuartelillo de la guardia civil y hacia allí me dirigí con mis últimas energías. «Se me escapa —pensaba, desesperado—, ay, que se me escapa… que se desliza por entre los dedos… que se va, que huye, que…»

Esta crónica termina aclarando que llegué por fin a la comisaría y entregué a mi asesino. Ninguna importancia tuvo, pues, que surgiera cierta confusión al principio y la guardia civil me detuviera a mí, ya que pronto me identificaron, observaron mi estado y me trasladaron a un hospital del que salí tres días después bastante restablecido, gracias a Dios, y con la satisfacción de haber librado —¡y ganado!— una batalla campal contra el más astuto de todos los criminales de la historia. Ante este triunfal resultado, ¡qué importancia puede tener la compasión que advertí en ciertas miradas, las falsas palabras de consuelo, los sedantes que me inyectaron y la vacuidad de las preguntas que me hicieron los médicos!

Recuerdo que, durante las dos o tres noches siguientes a mi salida del hospital, demoraba en conciliar el sueño pensando qué hubiese ocurrido de no haber llegado a tiempo al cuartel de la guardia civil.

Qué habría pasado si no hubiese conservado entre los dedos índice y pulgar de mi mano derecha al menos una leve brizna de ceniza, cantidad muchísimo más insignificante que la que deposita en la frente don Fernando el párroco el primer miércoles de cuaresma cuando nos recuerda que somos polvo y volveremos a serlo. Qué habría sucedido con la gente de nuestro pueblo si no llego a entrar en el cuartelillo y, enfrentándome a la sorpresa del guardia civil de turno, abrir la mano y separar los dedos, dejando caer así sobre el escritorio atestado de informes la última, minúscula forma de mi asesino: unos pocos, casi invisibles granos de polvo, que solté como si me escocieran frente al atónito policía al tiempo que gritaba, jadeante:

—¡Aquí está! ¡Lo he atrapado, por fin: el responsable de todas las muertes, el verdadero culpable, primero araña, después mierda, más tarde música y cangrejo, y por último viento y ceniza! ¡Aquí está el único asesino!

Y el guardia civil de turno bajó la vista y distinguió perfectamente los oscuros y dispersos restos finales de mi verdugo, el nimio pero espantoso detalle de la maldad humana.

Enero de 1997

LA BOCA

Nadie ha tocado nunca un timbre tan terrible: no me refiero al sonido que produjo sino a la presión en sí, al tacto del botón contra mi dedo, o de mi dedo contra el botón, nadie ha sentido nunca lo mismo que yo; aunque mi sensación fue lógica, ya que físicamente sería imposible tocar el timbre sin el hueso, quiero decir que sin el hueso nuestro dedo se torcería sobre el botón como un tubo de goma, o se aplastaría ridículamente, o se introduciría en sí mismo como un guante vacío, así que hasta cierto punto resulta lógico suponer que el timbre suena con el hueso, que es mi esqueleto el que llama a la puerta, pero nadie ha sentido nunca tal cosa, y me produjo pena y sorpresa comprobar que hasta aquel momento crucial yo ignoraba lo que realmente somos y que el conocimiento puede producirse así, de improviso, mientras el zumbido eléctrico molesta el oído todavía, que se me haya revelado en ese instante doméstico, que cuando Galia abrió la puerta yo ya fuera otro, que el sonido de su timbre me despertara de un sueño de ignorancia para sumirme en la vigilia de un mundo que, por desagradable que fuera, era más cierto, porque si mi dedo había hecho sonar el timbre era debido a que llevaba hueso en su interior; lo había percibido de repente: mi dedo era un dedo con hueso y su utilidad radicaba en el hueso, al palparlo noté la dureza debajo, tras impensables láminas de músculo, y la realidad de aquella presencia me dejó asombrado, estuporoso, con un estupor y un asombro no demasiado intensos pero permanentes: oh Dios mío, tengo un *hueso debajo*, mi dedo *no es* un dedo, es un *hueso articulado* y protegido contra el desgaste: la idea me vino así, con una lógica tan aplastante que no me sorprendió *en sí misma* sino su ausencia hasta ese timbre; no había una idea extraña e increíble, había una extraña e increíble omisión de la idea en todo el mundo, justo hasta el histórico momento en que llamé a la puerta del piso de Galia, pero Galia estaba en el umbral con su bata azul celeste y su cabello ondulado como por rulos invisibles, y me contemplaba sorprendida; y es que es una mujer muy perspicaz: apenas me entretuve un instante demasiado largo entre su saludo y mi entrada, y ya me había preguntado qué me ocurría: yo me frotaba el índice de mi descubrimiento contra el pulgar, incapaz de creer aún que lo obvio podía estar tan oculto, casi temeroso de creerlo, y opté por disimular esperando tener más tiempo para razonar, así que entré, le di un beso, me quité el abrigo húmedo y la bufanda y saludé al pasar a César, que ladraba incesante en el patio de la cocina: Galia me dijo qué tal y yo le dije muy bien, y le devolví estúpidamente la pregunta y ella me respondió igual, y de repente me pareció absurdo este diálogo especular de respuestas consabidas, o quizá era que la revelación me había estropeado la rutina, véase si no otro ejemplo: mantuve tieso el culpable dedo índice mientras entraba, y ni siquiera lo utilicé para quitarme el abrigo, como si una herida repentina me impidiera usarlo, y es que desde que había comprobado que ocultaba un hueso lo miraba con cierta aprensión, como se miran los fetiches o los amuletos mágicos; pero hice lo que suelo hacer: me senté en uno de los dos grandes sofás de respaldo recto, estiré las piernas, saqué un cigarrillo —con los dedos pulgar y medio— y dije que sí casi al mismo instante que Galia me preguntaba si quería café, incluso antes de saber si realmente tenía ganas de café, ya que la tradición es que acepte, y Galia, tan maternal, necesita que yo acepte todo lo que me da y rechace todo lo que no puede darme; tomar el café en la salita, mientras termino el cigarrillo y justo antes de pasar al dormitorio, se ha vuelto, a la larga, el rato más excitante para ambos; charlamos de lo acontecido durante la semana, Galia me pregunta siempre por Ameli y Héctor Luis, se muestra interesada en mis problemas y apenas me habla de los suyos, pero el diálogo es una excusa para que ella me inspeccione, me palpe, capte cosas en mi mirada, en mi forma de vestir, en mis gestos, pues Galia, a diferencia de Alejandra, es una mujer afectuosa, impulsiva y, como ya he dicho, perspicaz, y la conversación no le interesa tanto como ese otro lenguaje inaudible de la apariencia, así que es muy natural que la interrumpa para decirme: estás cansado, ¿verdad?, o bien: hoy no tenías muchas ganas de venir, ¿no es cierto? o bien: cuéntame lo que te ha pasado, vamos, has discutido con Alejandra, ¿me equivoco?, así estemos hablando del tiempo que hace, los estudios de Héctor Luis o lo que sea, da igual, su mirada me envuelve y nota las diferencias; por lo tanto, no fue extraño que esa tarde me dijera, de repente: te encuentro raro, Héctor, y yo, con simulada ingenuidad: ¿sí?, y ella, confundida, aventura la idea de que pueda tratarse de Alejandra o de la niña: no, no es Alejandra, le digo, tampoco es Ameli; Alejandra sigue sin saber nada de lo nuestro, tranquila, y en cuanto a Ameli, ya la dejo por imposible, pero ella concluye que tengo una cara muy curiosa este jueves y yo la consuelo a medias diciéndole que estoy cansado, y ella insiste: pero no es cara de estar cansado sino preocupado, y yo: pues lo cierto es que no me pasa nada, Gali, porque cómo decirle que estoy pensando inevitablemente en el hueso de mi dedo índice, cómo decirle que de repente me he descubierto un hueso al llamar al timbre de su casa: ¿acaso no iba a sentirse un poco dolida?, ¿acaso no pensaría que era una forma como cualquier otra de decirle que ya estaba harto de visitarla cada semana, todos los jueves, desde hace años?, sonaba mal eso de: acabo de darme cuenta, Gali, justo al llamar al timbre de tu puerta, de que tengo un hueso en el dedo, de que mi dedo índice son tres huesos camuflados, para acto seguido decir: bueno, Gali, no pensemos más en que mi dedo índice son tres huesos, ¿no?, y vamos a la cama, que se hace tarde; sonaba mal, sobre todo porque con Galia, igual que con Alejandra, tenía que andar de puntillas: nuestra relación se había prolongado tanto que, a su modo, también era rutinaria, a pesar de que ella seguía llamándola «una locura»; curiosamente, Galia es viuda y libre y yo estoy casado y tengo dos hijos, pero ella sigue diciendo que lo nuestro es «una locura» y yo pienso cada vez más en una aburrida traición, un engaño cuya monótona supervivencia lo ha despojado incluso del interés perverso de todo engaño dejando solo los inconvenientes: jamás podría hablarle a Alejandra de Galia, ahora *ya no*, y jamás podría terminar con Galia, *ahora* ya no, cada relación se había instalado en su propia rutina y ya ni siquiera podía soñar con escaparme de ésta, porque se suponía que cada una servía precisamente para huir de la rutina de la otra: mi deber era cuidar de ambas, conocer a Galia y a Alejandra, saber qué les gustaba oír y qué no, lo cual, naturalmente, era difícil, y por eso mi propia rutina consistía en callarme frente a las dos; pero en momentos así callarme también era un esfuerzo, porque si me notaba incluso *la división* entre los huesos, si podía imaginármelos al tacto, sentirlos allí como un dolor o una comezón repentina, ¿cómo podía evitar pensar en eso?; y ni siquiera era mi dedo lo que me molestaba, ya dije, sino mi *error* al no darme cuenta hasta ahora: esa *ceguera* era lo que jodía un poco, perdonando la expresión; porque hubiera sido como si me creyera que el arlequín de la fiesta de disfraces no esconde a nadie debajo, cuando es bien cierto que ese alguien *bajo* el arlequín es quien le otorga *forma* a este último, que no podría existir sin el primero: sería tan solo puros leotardos a rombos blancos y negros, bicornio de cascabeles, zapatillas en punta y antifaz, pero no el *arlequín*, y de igual manera, ¿qué error me llevó a creer hasta esa misma tarde que mi dedo índice era un dedo?; si lo analizamos con frialdad, un dedo es un *disfraz*, ¿no?, una piel elegante que oculta el cuerpo de un hueso, o de tres huesos si nos atenemos a lo exacto, y a poco que lo meditemos, una vez llegados a este punto y pinchado en el hueso, valga la expresión, ya no se puede retroceder y razonar al revés: decir, por ejemplo, que el hueso es simplemente la parte interna de un dedo: sería como llegar a ver el alma: ¿acaso pensaríamos en el cuerpo con el mismo interés que antes?; pero mientras hablaba con Galia y la tranquilizaba estaba razonando lo siguiente: que este descubrimiento conlleva sus problemas, porque es un hallazgo *delator*, como atrapar a un miembro de la banda y lograr que revele la guarida de los demás: si mi dedo índice derecho, el dedo del timbre, lleva huesos ocultos, la conclusión más sencilla se extiende como un contagio a los otros cuatro de esa misma mano y, ¿por qué no?, a los cinco de la otra: tengo un total de *diez huesos entre las dos manos*, tirando por lo bajo, *cinco huesos* en cada una, y lo peor de todo es que *se mueven*: porque hay que pensar en esto para horrorizarse del todo: ¿alguna vez vieron moverse solos a diez huesos?, pues ocurre todos los días frente a ustedes, en el extremo final de los brazos: hagan esto, alcen una mano como hice yo aprovechando que Galia se acicalaba en el cuarto de baño (porque Galia se acicala antes y después de nuestro encuentro amoroso), alcen cualquiera de las dos manos frente a sus ojos y notarán el asco: cinco repugnantes *huesos* bajo una capa de pellejo (ni siquiera huesos *limpios*, por tanto, sino *envueltos en carne*) moviéndose como ustedes desean, cinco huesos pegados a ustedes, oigan, y tan usados: saber que nos rascamos con huesos, que cogemos la cuchara con huesos, que estrechamos los huesos de los demás en la calle, que acariciamos con huesos la piel de una mujer como Galia: saberlo es tan terrible pero no menos real que los propios huesos, saberlo es *descubrirlo para siempre*, y lo peor de todo fue lo que me afectó: no se trata de que no se me pusiera tiesa en toda la tarde, perdonando la intimidad, ya que esto me ocurría incluso cuando pensaba que los dedos eran dedos, no, lo peor fue *el cuidado* que puse: tanto que no parecía que estaba haciendo el amor sino operando algún diente delicado; y es que me invadió una notoria compasión por Galia, tan hermosota a sus cincuenta incluso, al pensar que sobaba sus opulencias, sus suavidades, con huesos fríos y duros de cadáver: mi culpa llegó incluso a hacerme balbucear incongruencias, desnudos ambos en la cama: ¿soy demasiado duro?, comencé por decirle, y ella susurró que no y me abrazó maternalmente, e insistir al rato, todo tembloroso: ¿no estoy siendo quizá algo *tosco*?, y ella: no, cariño, sigue, sigue, pero yo la tocaba con la delicadeza con que se cierran los ojos de un muerto, porque ¿cómo olvidar que eran huesos lo que deslizaba por sus muslos?, aún más: ¿cómo es que ella *no lo sabía*?, ¿acaso no se percataba de que las caricias que más le gustaban, aquellas en que mis dedos se cerraban sobre su carne, eran debidas a los *huesos*?: sin ellos, tanto daría que la magreara con un plumero: ¿cómo podría estrujar sus pechos sin los *huesos*?, ¿cómo apretaría sus nalgas sin los *huesos*?, ¿cómo la haría *venirse*, en fin, sin frotar un *hueso* contra su *cosa*, perdonando la vulgaridad?: sin los *huesos*, mis dedos valdrían tanto como mi pilila, perdonando la obscenidad, o sea, *nada*: ¿cómo es que ella no se horrorizaba de saber que nuestros retozos, que tanto le agradaban, eran puro intercambio de *huesos muertos*?, porque incluso sus propias manos, y mis brazos, y los suyos, Dios mío, ¿no eran largos y recios huesos articulados que se deslizaban por nuestros cuerpos, nos envolvían, apretaban nuestra carne, nos abrazaban?, ¿acaso era posible no sentir el grosero tacto de los húmeros, la chirriante estrechez del cúbito y el radio, los bolondros del codo y la muñeca?; sumido en esa obsesión me hallaba cuando dije, sin querer: ¿no estoy siendo muy *afilado* para ti?, y ella dijo: ¿qué?, y supe que la frase era absurda: «afilado», ¿cómo podía alguien ser «afilado» para otro?, y casi al mismo tiempo me percaté de que era la pregunta correcta, la más cortés, la más cierta: porque con toda seguridad había huesos y huesos, unos afilados y otros romos, unos muy bastos y ásperos como rocas lunares y otros pulidos quizá como jaspes: incluso era posible que el tacto del mismo hueso dependiera del ángulo en que se colocaba con respecto a la piel, porque un hueso es un poliedro, casi un diamante, y hay que imaginarse sobando a la querida con diez durísimos y helados cuarzos para comprender mi situación, pensar en la carilla adecuada que usaremos para deslizarlos por la piel, el borde más inofensivo, no sea que nuestros apretujones se conviertan en el corte del filo de un papel, en la erizante cosquilla de una navaja de barbero; y entre ésas y otras se nos pasó el tiempo y terminamos como siempre pero peor, resoplando ambos bocarriba como dos boyas en el mar, mirando al techo, con esa satisfacción pacífica que solo otorga la insatisfacción perenne: cuánto tiempo hace que tú y yo no disfrutamos, Galia, pienso entonces, que vamos llevando esto adelante por no aguardar la muerte con las manos vacías, tiempo repetido que nunca se recobra porque nunca se pierde, días monótonos, el trasiego de la rutina incluso en la excepción: porque, Galia, hemos hecho un *matrimonio* de nuestra hermosa amistad, eso es lo que pienso, pero hubiéramos podido ser felices si todo esto conservara algún sentido, si existiera alguna otra razón que no fuera la inercia para mantenerlo; oía su respiración jadeante de cincuenta años junto a mí y trataba de imaginarme que estaba pensando lo mismo: ese silencio, Galia, que nunca llenamos, la distancia de nuestra proximidad, por qué tener que imaginarlo todo sin las palabras, qué piensas de mí, qué piensas de ti misma, por qué hablar de lo intrascendente, y va y me indaga ella entonces: ¿qué tal el trabajo?, porque cree que el exceso de dedicación me está afectando, y yo le digo que bien, y ella, apoyada en uno de sus codos e inclinada sobre mí, los pechos como almohadas blandas, vuelve a la carga con Alejandra: pero te ocurre algo, Héctor, dice, desde que has entrado hoy por la puerta te noto cambiado, ¿no será que Alejandra sospecha algo y no me lo quieres decir?, y le he contestado otra vez que no, y a veces me interrogo: ¿por qué todo esto?,

¿por qué lo mismo de lo mismo, este vaivén inacabable?, ¿qué pasaría si un día hablara y confesara?, ¿qué pasaría si por fin me decidiera a hablar delante de Alejandra, pero también delante de Galia y de mí mismo?, decir: basta de secretos, de engaños, de misterios: ¿qué sentido le encontráis a todo?, ¿por qué oficiar siempre el mismo ritual de lo cotidiano?, y para cambiar de tema le comento que Ameli está atravesando ahora la crisis de la adolescencia y discute frecuentemente conmigo y que Héctor Luis ha decidido que no será dentista sino aviador; a Galia le gusta saber lo que ocurre con mis hijos, ese tema siempre la distrae, incluso me ofrece consejos sobre cómo educarlos mejor, y yo creo que goza más de su maternidad imaginaria que Alejandra de la real; en todo caso, es un buen tema para cambiar de tema, y pasamos un largo rato charlando sin interés y pienso que es curioso que venga a casa de Galia para hablar de lo que apenas importa, ya que eso es prácticamente lo único que hago con Alejandra; en los instantes de silencio previos a mi partida seguimos mirando el techo, o bien ella me acaricia, zalamera, incluso pesada, y me dice algo: esa tarde, por ejemplo: me gusta tu pecho velludo, así lo dice, «velludo», y no sé por qué pero de repente me parece repugnante recibir un piropo como ése, aunque no se lo comento, claro, y ella, insistente, juega con el vello de mi pecho y sonríe; Galia es una orquídea salvaje, pienso, y a saber por qué se me ocurre esa pijada de comparación, pero es tan cierta como que Dios está en los cielos aunque nunca le vemos: Galia es una orquídea salvaje en olor, tacto, sabor, vista y sonido, y me encuentro de repente pensando en ella como orquídea cuando la oigo decir: ¿por qué me preguntaste antes si eras «afilado»?, ¿eso fue lo que dijiste?, y me pilla en bragas, perdonando la expresión, porque al pronto no sé a lo que se refiere, y cuando caigo en la cuenta, y para no traicionarme, le respondo que quería saber si le estaba haciendo daño en el cuello con mis dientes, y ella va y se echa a reír y dice: ¡vampirillo, vampirillo!, y vuelve a acariciarme, y como un tema trae otro, lo de los dientes le recuerda que necesita hacerse otro empaste, porque hace dos días, comiendo empanada gallega, notó que se le desprendía un pedacito de la muela arreglada, así que pasará por mi consulta sin avisarme cualquier día de éstos, y de esa forma nos veremos antes del jueves, dice, y su sonrisa parece dar a entender que está recordando el día en que nos conocimos, porque las mujeres son aficionadas a los aniversarios, ella tendida en el sillón articulado, la boca abierta, y yo con mi bata blanca y los instrumentos plateados del oficio, y como para confirmar mis sospechas me acaricia de nuevo el pecho «velludo» y dice: me gustaste desde aquel primer día, Héctor, me hiciste daño pero me gustaste, y claro está que nos reímos brevemente y yo le digo que nunca he comprendido por qué se enamoró de mí en la consulta, qué clase de erotismo desprendería mi aspecto, bajito, calvo y bigotudo, amortajado en mi bata blanca, entre el olor a alcohol, benzol, formol y otros volátiles, provisto de garfios, tenacillas, tubos de goma, lancetas y ganchos, porque no es que mi oficio me disgustara, claro que no, pero no dejaba de reconocer que la consulta de un dentista de pago es cualquier cosa menos un balcón a la luz de la luna frente a un jardín repleto de tulipanes, eso le digo y ella se ríe, y por último el silencio regresa otra vez, inexorable, porque es un enemigo que gana siempre la última batalla; llega la hora de irme, esa tarde más temprano porque mi suegro viene a cenar a casa, y cuando voy a levantarme la oigo decir, como de forma casual: ¿qué haces frotándote los dedos sin parar, Héctor?, ¿te pican?, eso dice, y descubro que, en efecto, he estado todo el rato dale que dale moviendo los dedos de la mano derecha como si repitiera una y otra vez el gesto con el que indicamos «dinero» o nos desprendemos de alguna mucosidad, perdonando la vulgaridad, que es casi el mismo que el que utilizamos para indicar «dinero», y enrojezco como un niño de colegio de curas pillado en una mentira y quedo sin saber qué decirle, hasta que por fin me decido y opto por revelarle mi hallazgo: nada, digo, ¿es que nunca te has tocado el hueso que tenemos bajo los dedos?, y lo pregunto con un tono prefabricado de sorpresa, como si lo increíble no fuera que yo me los frotase sino que ella no lo hiciera: qué dices, me mira sin entender, y me encojo de hombros y le explico: es que resulta curioso, ¿no?, quiero decir que si te tocas los dedos notas *durezas* debajo, ¿verdad?, y esas *durezas* son el hueso, ¿no te parece curioso, Gali?, toca, toca mis dedos: ¿no lo palpas bajo la piel, la grasa y los tendones?, es un hueso cualquiera, como los que César puede roer todos los días, le digo, y ella retira la mano con asco: qué cosas tienes, Héctor, dice, es repugnante, dice, y yo le doy la razón: en efecto, es repugnante pero está ahí, son huesos, Gali, mondos y lirondos, blancos, fríos y duros huesos sin vida: sin vida no, dice ella, pero replico: *sin* vida, Gali, porque nadie puede vivir con los huesos *fuera*, los huesos son *muerte*, por eso nos morimos y sobresalen, emergen y persisten para siempre, pero se ocultan mientras estamos vivos, es curioso, ¿no?, quiero decir que es curioso que seamos incapaces de vivir sin los huesos de nuestra propia muerte, pero más aún: que los llevemos dentro como tumbas, que *seamos ellos* ocultos por la piel, que seamos *el disfraz* del esqueleto, ¿no, Gali?, y ella: ¿te pasa algo, Héctor?, y yo: no, ¿por qué?, y ella: es que hablas de algo tan extraño, y yo le digo que es posible y me callo y pienso que quién me manda contarle mi descubrimiento a Galia, sonrío para tranquilizarla y me levanto de la cama, no sin antes cubrirme convenientemente con la sábana, ya que siempre me ha parecido, a propósito del tema, que la desnudez tiene su hora y lugar, como la muerte, y recojo la ropa doblada sobre la silla, me visto en el cuarto de baño y para cuando salgo Galia me espera ya de pie, en bata estampada por cuya abertura despuntan orondos los pechos y destaca el abultado pubis, me da un besazo enorme y húmedo y me envuelve con su cariño y bondad maternales: te quiero, Héctor, dice, y yo a ti, respondo, y no te preocupes, dice, porque otro día nos saldrá mejor, y me recuerda aquel jueves de la primavera pasada, o quizá de la anterior, en que fuimos capaces de hacerlo dos veces seguidas y en que ella me bautizó con el apodo de «hombre lobo»: teniendo en cuenta que hoy he sido «vampirillo», más intelectual pero menos bestia, quién duda de que me convertiré cualquier futuro jueves en «momia» y terminará así este ciclo de avatares terroríficos que comenzó con un «frankenstein» entre luces blancas, olor a fármacos y cuchillas plateadas, pero esto lo digo en broma, porque bien sé que lo nuestro nunca terminará, ya que, a pesar de todo –incluso de mi escasa fogosidad–, es «una locura», o no, porque hay ritual: el rito de decirle adiós a César, ladrando en el patio encadenado a una tubería oxidada, el beso final de Galia, y otra vez en la calle, ya de noche, frotándome los dedos dentro de los bolsillos del abrigo mientras camino, porque vivo cerca de la casa de Galia y tengo mi trabajo cerca de donde vivo, así que me puedo permitir ir caminando de un sitio a otro, todo a mano en mi vida salvo los instantes de vacaciones en que nos vamos al apartamento de la costa, y, sin embargo, debido a la repetición de los veranos, también a mano el apartamento, y la costa, y todo el universo, pienso, tan próximo todo como mis propias manos, y, sin embargo, a veces tan sorprendentemente extraño como ellas: porque de improviso surge lo oculto, los huesos que yacen debajo, ¿no?, pienso eso y froto mis dedos dentro de los bolsillos del abrigo; y ya en casa, comprobar que mi suegro había llegado ya y excusarme frente a él y Alejandra con tonos de voz similares, aunque ambos creen que los jueves me quedo hasta tarde en la consulta «haciendo inventario», que es la excusa que doy, así me cuesta menos trabajo la mentira, ya que me parece que «hacer inventario» es suministrarle a Alejandra la pista de que mi demora es una invención, una alocada fantasía de mi adolescencia póstuma, hasta tal extremo de juego y cansancio me ha llevado el silencio de estos últimos años; además, sospecho que el viejo escoge los jueves para disponer de un rato a solas con Alejandra mientras yo estoy ausente, lo cual, hasta cierto punto, me parece una compensación, Alejandra tiene a su padre y yo tengo a Galia, y sospecho que desde hace meses ambas parejas pasamos el tiempo de manera similar: hablando de tonterías y fumando; el padre de Alejandra, rebasados los ochenta, tiene una cabeza tan perfecta y despejada que te hace desear verlo un poco confuso de vez en cuando, que Dios me perdone, porque además ha sido librero, propietario de una antigua tienda ya traspasada en la calle Tudescos, hombre instruido y amante de la letra impresa, particularmente de los periódicos, y con un genio detestable muy acorde con su inútil sabiduría y su fisonomía encorvada y su luenga barbilla lampiña; Alejandra, que ha heredado del viejo el gusto por la lectura fácil y la barbilla, además de cierta distracción del ojo izquierdo que apenas llega a ser bizquera, se enzarza con él en discusiones bienintencionadas en las que siempre terminan ambos de acuerdo y en contra de mí, aunque yo no haya intervenido siquiera, ya que al viejo nunca le gustó nuestro matrimonio, y no porque hubiera creído que yo era una mala oportunidad, sino por «principios», porque el viejo es de los que odian *a priori*, y yo nunca sería él, nunca compartiría todas sus opiniones, nunca aceptaría todos sus consejos y, particularmente, jamás permitiría que Alejandra regresara a su área de influencia (vacía ya, porque su otro hijo se emancipó hace tiempo y tiene librería propia en otra provincia); además, mi profesión era casi una ofensa al buen gusto de los «intelectuales discretos» a los que él representa, porque está claro que los dentistas solo sabemos provocar dolor, somos terriblemente groseros, apenas se puede hablar con nosotros a diferencia de lo que ocurre con el peluquero o el callista (debido a que no se puede hablar mientras alguien te hurga en las muelas), y, por último, ni siquiera poseemos la categoría social de los cirujanos: el hecho de que yo ganara más que suficiente como para mantener confortables a Alejandra y a mis dos hijos, poseer consulta privada, secretaria y servicio doméstico, no excusaba la vulgaridad de mi trabajo, pero lo cierto es que nunca me había confiado de manera directa ninguna de estas razones: frente a mí siempre pasaba en silencio y con fingido respeto, como frente a la estatua del dictador, pero se agazapaba aguardando el momento de mi error, el instante apropiado para señalar algo en lo que me equivoqué por no hacerle caso, aunque, por supuesto, nunca de manera obvia ni durante el período inmediatamente posterior a mi pequeño fracaso, porque no era tanto un cazador legal como furtivo y rondaba en secreto a mi alrededor esperando el instante apropiado para que su odio, dirigido hacia mí con fina puntería, apenas sonara, y entonces hablaba con una sutileza que él mismo detestaba que empleasen con él, ya que había que ser «franco, directo, como los hombres de antes», pero yo, lejos de aborrecerle, le compadecía (y fingía aborrecerle precisamente porque *le compadecía*): me preguntaba por qué tanto silencio, por qué llevarse todas sus maldiciones a la tumba, cuál es la ventaja de aguantar, de reprimir la emoción día tras día o enfocarla hacia el sitio incorrecto; pero lo más insoportable del viejo era su fingida indiferencia, esa charla intrascendente durante las cenas, ese acuerdo tácito para no molestar ni ser molestado, tan bien vestido siempre con su chaqueta oscura y su corbata negra de nudo muy fino: un día te morirás trabajando, me dice cuando me excuso por la tardanza, y no te habrá servido de nada: este gobierno nunca nos devuelve el tiempo perdido ese del señor Joyce, añade (su costumbre de citar autores que nunca ha leído solo es superada por la de citarlos mal), que diga, Proust, se corrige, a mí siempre los escritores franceses me han dado por atrás, con perdón, dice, y por eso me equivoco, y Alejandra se lo reprocha: papá, dice; mientras finjo que escucho al viejo, contemplo a Alejandra ir y venir instruyendo a la criada para la cena y llego a la conclusión de que mi mujer es como la casa en la que vivimos: demasiado grande, pero a la vez muy estrecha, adornada inútilmente para ocultar los años que tiene y llena de recuerdos que te impiden abandonarla; Alejandra tiene amigas que la visitan y le dan la enhorabuena cuando Ameli o Héctor Luis consiguen un sobresaliente; a diferencia de Galia, Alejandra es fría, distinguida e intelectual a su modo, y vive como tantas otras personas: pensando que no está bien vivir como a uno realmente le gustaría, porque Alejandra cree que el matrimonio termina unos meses después de la boda y ya solo persiste el temor a separarse; su religión es semejante: hace tiempo que dejó de creer en la felicidad eterna y ahora tan solo teme la tristeza inmediata; sin embargo, invita a almorzar con frecuencia al párroco de la iglesia y acude a ésta con una elegancia no llamativa, lo que considera una característica importante de su cultura, pues en la iglesia se arrodilla, reza y se confiesa y murmura por lo bajo cosas que parecen palabras importantes; a veces he pensado en la siguiente blasfemia: si a Dios le diera por no existir, ¡cuántos secretos desperdiciados que pudimos habernos dicho!, ¡qué opiniones sobre ambos hemos entregado a otros hombres!, pero lo terrible es que tanto da que Dios exista: dudo que al final me entere de todo lo que comentas sobre mí y sobre nuestro matrimonio en la iglesia, Alejandra, eso pienso; qué va: por paradójico que resulte, la iglesia es el lugar donde la gente como nosotros habla más y mejor, pero todo se disuelve en murmullos y silencio y oraciones, y la verdad se pierde irremediablemente: quizá la clave resida en arrodillarnos frente al otro siempre que tengamos necesidad de hablar, o en hacerlo en voz baja y muy rápido, sin pensar, como si rezáramos un rosario; y meditando esto oigo que el viejo me dice: ¿te pasa algo en los dedos, Héctor?, con esa malicia oculta de atraparme en otro error: y es que ahora compruebo que desde que he llegado no he dejado en ningún momento de palparme los extremos de las falanges, los rebordes óseos, el final de los metacarpos; ¿qué opinaría el viejo si le confiara mi hallazgo?, pienso y sonrío al imaginar las posibles reacciones: nada, le digo, y muevo los huesos ante sus ojos y cambio de tema; ni Ameli ni Héctor Luis están en casa cuando llego, e imagino que es la forma filial que poseen de «hacer inventario» por su cuenta, lo cual no me parece ni malo ni bueno en sí mismo, y nos sentamos a la mesa casi enseguida y Alejandra sirve de la fuente de plata con el cucharón de plata las albóndigas de los jueves, y nos ponemos a escuchar la conversación del viejo con el debido respeto, como quien oye una interminable bendición de los alimentos, interrumpido a ratos por las breves acotaciones de Alejandra, solo que esa noche el tema elegido se me hace extraño, alegórico casi, y además empiezo a sentirme incómodo nada más comenzar a comer, porque los brazos, que apoyo en el borde de la mesa, me han desvelado con todo su peso la presencia de los huesos, del cúbito y el radio que guardan dentro, y los codos se me figuran una zona tan inadecuada y brutal para esa respetuosa reunión como colocar quijadas de asno sobre la mesa mientras el viejo habla, y en su discurso de esa noche repite una y otra vez la palabra «corrupción»: ¿habéis visto qué corrupción?, dice, ¿os dais cuenta de la corrupción de este gobierno?, ¿acaso no se pone de manifiesto la corrupción del sistema?, ¿no son unos corruptos todos los políticos?, ¿no oléis a corrupción por todas partes?, ¿no se ha descubierto por fin toda la corrupción?, y mientras le escucho, intento no hacer ruido con mis brazos, porque de repente me parece que la madera de la mesa al chocar contra el hueso produce un sonido como el de un muerto arañando el ataúd y no me parece correcto escuchar la opinión del viejo con tal ruido de fondo, pero como tengo que comer, cojo tenedor y cuchillo y divido una albóndiga en dos partes y me llevo una a los labios intentando no mirar hacia los huesos que sostienen el tenedor, porque no es agradable la paradoja de verme alimentado por un esqueleto, aunque sea el mío, pero mientras mastico con los ojos cerrados oyendo al viejo hablar de la «corrupción» mi lengua detecta una esquirla, un pedacito de algo dentro de la albóndiga, y, tras quejarme a Alejandra con suavidad, recibo esta respuesta: será un huesecillo de algo, es que son de pollo, Héctor, y es quitarme con mis huesos índice y pulgar el huesecillo y dejarlo sobre el plato, e írseme la mente tras esta idea inevitable: que dentro de todo lo blando necesariamente existe *lo que queda*, el hueso, el armazón, la dureza, el hallazgo, aquello oculto que es blanco y eterno, lo que permanece en el cedazo, la piedra, lo que «nadie quiere»; es imposible huir de «eso que queda», porque está dentro, así que escondo los brazos bajo la mesa, incluso me tienta la idea de comer como César, acercando el hocico al plato, pero ¿acaso no es inútil todo intento de disimulo frente al apocalíptico trajín de la cena?, porque lo que percibo en ese instante es algo muy parecido a una hogareña resurrección de los muertos: incluso con el apropiado evangelista –mi suegro–, gritando «corrupción»: Alejandra coge el pan con sus huesos y lo hace crujir y lo parte, el viejo apoya los huesos en el mantel y los hace sonar con ritmo, Alejandra coge el cucharón con sus huesos y sirve más albóndigas repletas de huesecillos de pollo muerto, el viejo va y se limpia los huesos sucios de carne ajena con la servilleta, Alejandra señala con su hueso la cesta del pan y yo se la alcanzo extendiendo mis huesos y ella la coge con los suyos, hay un cruce de húmeros, cúbitos y radios, de carpos y metacarpianos, de falanges, y nos pasamos de unos a otros, de hueso a hueso, la vinagrera, el aceite, la sal, el vino y la gaseosa, y llegan Ameli y Héctor Luis, una del cine y el otro de estudiar, y saludan, y Ameli desliza sus frágiles huesos de quince años por mi cabeza calva, envuelve con sus breves húmeros mi cuello, me besa en la mejilla: ¿dónde has estado hasta estas horas?, le pregunto, y ella: en el cine, ya te lo he dicho, y yo: pero ¿tan tarde?; sí, dice, habla sin mirar sus manos gélidas, los huesos de sus manos muertas, sus brazos como pinzas blancas; sí, papá, la película terminó muy tarde; y de repente, mientras la contemplo sentándose a la mesa, su cabello oscuro y lacio, los ojos muy grandes, el jersey azul celeste tenso por la presencia de los huesos, he sentido miedo por ella, he querido cogerla, atraparla y bogar juntos por ese fluir desconocido e incesante hacia la oscuridad final: creo que deberías volver más temprano a casa a partir de ahora, Ameli, le digo, y ella: ¿por qué?, con sus ojos brillando de disgusto, y yo, mis brazos escondidos, ocultos, sin revelarlos: creo que las calles no son seguras, y el viejo me interrumpe: hoy ya nada es seguro, Héctor, dice y sigue comiendo, Alejandra sirve albóndigas y Héctor Luis se queja de que son muchas, y Ameli: ¡pero ya tengo quince años, papá!, y yo: es igual, y entonces Alejandra: no seas muy duro con la niña, Héctor, dice, le dimos permiso para que volviera hoy a esta hora, pero ella sabe que solamente hoy; guardo silencio: en realidad, todo se sumerge en el silencio salvo el entrechocar de los huesos; Ameli y Héctor Luis son tan distintos, pienso, pero en algo se parecen, y es que ambos *se nos van*; no los he visto crecer, los he visto *irse*: pero ni siquiera eso, pienso ahora, porque jamás he podido saber si alguna vez *estuvieron* por completo; Ameli tiene novio, pero es un secreto; sabemos que Héctor Luis ha salido con varias chicas, pero lo que piensa de ellas es secreto; ambos se han hecho planes para el futuro, tienen deseos, ganas de hacer cosas, pero todo es secreto: quizá lo comentan en los «pubs» a falta de una buena iglesia en la que poder hablar como nosotros, tan a gusto, pero en casa adoptan los dos mandamientos trascendentales de la familia: nunca hablarás de nada importante y ama el enigma como a ti mismo, ¡y si hubiera solo silencio!, pero es la charla insignificante lo que molesta, y ahora esos ruidos detrás: el golpe, el crujir de nuestros huesos; siento algo muy parecido a la pena, pero una pena casi biológica, como una mota en el ojo o el aroma inevitable de la cebolla cruda, y me disculpo para ir al baño y llorar a gusto por algo que no entiendo, y más tarde, en la cama, con Alejandra a mi lado leyendo complacida un librito de romances, me da por preguntarle: ¿soy demasiado duro contigo? mientras me observo los huesos tranquilos sobre la colcha: mis manos muertas y peladas, los cúbitos y radios en aspa, los húmeros convergiendo, y ella deja un instante el libro que sostiene con sus huesos, me mira sorprendida y dice: no, Héctor, no, ¿por qué preguntas eso?, y yo, insistente: ¿he sido duro contigo alguna vez?, y ella: nunca, y yo: ¿quizá soy demasiado tosco?, y ella: Héctor, ¿qué te pasa?, y yo: demasiado rudo quizá, ¿no?, y ella: no seas bobo, ¿lo dices porque hoy no hablaste apenas durante la cena?, ya sé que papá no te cae bien, me da un beso y añade: procura descansar, el trabajo te agota, y la veo extender las falanges blancas y articuladas de sus dedos, apagar la lamparilla de pantalla rosa y sumir la habitación en una oscuridad donde la luz de la luna, filtrada, hace brillar las superficies ásperas de nuestros huesos; después, en el sueño, he presenciado un teatro de sombras donde mis manos y brazos se movían, desplazándome, porque eran *lo único*, ya que la vida se había invertido como un negativo de foto y ahora solo importaba lo oculto, el secreto descubierto: los huesos de mis manos se extendían con un sonido semejante a los resortes de madera de ciertos juguetes antiguos, emergiendo del telón negro que los rodeaba: son ellos solos, el mundo es ellos, brazos y manos colgantes que hacen y deshacen, crean y destruyen, no nacen ni mueren, simplemente cambian su posición, horizontal, vertical, en ángulo, hacia arriba o hacia abajo, brazos que se balancean al caminar y manos que agarran con sus huesos cosas invisibles; y a la mañana siguiente, tras toda una noche de sueños interrumpidos y vueltas en la cama, creo comprenderlo: mi revelación es una lepra que avanza incesante, porque suena el despertador con su timbre gangoso que tanto me recuerda a una trompeta de cobre, pongo los pies descalzos en las zapatillas y lo noto: la dureza bajo las plantas, la pelusa del forro de las zapatillas adherida a los huesos del tarso, el rompecabezas de huesos irregulares de mis pies, los extremos de la tibia y el peroné sobresaliendo por el borde del pijama, las rótulas marcando un óvalo bajo la tela extendida, y al erguirme, el crujido de los fémures: el descubrimiento no me hace ni más ni menos feliz que antes, ya que lo intuyo como una consecuencia, pero un estupor inmóvil de estatua persiste en mi interior; y al ducharme viene lo peor, porque entonces compruebo que los golpes de las gotas no me lavan sino que se limitan a disgregarme la suciedad por mis huesos: arrastran el barro de mis costillas goteantes, concentran la cal en mis pies, desprenden la tierra, permean las junturas, las grietas, los desperfectos, rajan los pequeños metacarpos como cáscaras de huevo, horadan mis clavículas y escápulas, pero no hoy ni ayer sino todos y cada uno de los días en un inexorable desgaste, siento que me *disuelvo* en agua y salgo con prisa no disimulada de la bañera y seco mi esqueleto goteante, deslizo la toalla por el cilindro de los huesos largos como si envolviera unos juncos, la arranco con torpeza de la trabazón de las vértebras, froto como cristales de ventana los huesos planos, pienso que debo conservarme seco para siempre porque de repente sé que soy un armazón de cincuenta años de edad que solo puede humedecerse con aceite, y es en ese instante, o quizá un poco después, cuando apoyo la maquinilla de afeitar contra mi rostro, que siento la invasión final de esa lepra y quedo tan inerme que apenas puedo apartar las cuchillas giratorias de mi mejilla: algo parecido a una horrísona dentera me paraliza, porque de repente noto como el restregar de un rastrillo contra una pizarra o el arañar baldosas con las patas metálicas de una silla, incluso imagino que pueden saltar chispas entre la maquinilla y el hueso de la mandíbula o el pómulo; me palpo con la otra mano la cabeza, siento las *durezas* del cráneo, el arco de las órbitas, el puente del maxilar, el ángulo de la quijada, y pienso: ¿por qué finjo que *me afeito*?, ¿acaso mi rostro no es un añadido, una capa, una máscara?; entra Alejandra en ese instante y casi me parece que gritará al ver a un desconocido, pero apenas me mira y se dirige al lavabo; yo me aparto, desenchufo la maquinilla y la guardo en su funda, y ella: ¿ya te has afeitado, Héctor?, y yo: sí, y salgo del baño con rapidez: ¡no podría acercar esa maquinilla a los huesos de mi calavera!; todo es tan obvio que lo inconcebible parece la ignorancia, pienso mientras me visto frente al espejo del dormitorio y abrocho la camisa blanca alrededor de las delgadas vértebras cervicales: llevar un cráneo dentro, una calavera sobre los hombros, besar con una calavera, pensar con una calavera, sonreír con una calavera, mirar a través de una calavera como a través de los ojos de buey de un barco fantasma, hablar por entre los dientes de una calavera: aquí está, tan simple que movería a risa si no fuera espantoso, y me afano en terminar el lazo de mi corbata con los huesos de mis dedos sonando como agujas de tricotar; Alejandra llega detrás, peinándose la melena amplia y negra que luce sobre su propia calavera, y el paso del cepillo descubre espacios blancos en el cuero cabelludo donde los pelos se entierran: parece inaudito saberlo ahora, *contemplarlo* ahora; entre los dientes sostiene dos ganchillos: el asco llega a tal extremo que tengo que apartar la vista: allí *emerge* el hueso, pienso, el subterfugio, el disfraz, tiene un defecto, como una carrera en la media que descubre el rectángulo de muslo blanco; allí, tras los labios, los dientes, los *únicos huesos que asoman*, y vivimos sonriendo y mostrándolos, y nos agrada enseñarlos y cuidarlos y mi profesión consiste precisamente en mantenerlos en buen estado, blancos y brillantes, limpios, pelados, lisos, desprovistos de carne, como tras el paso de aves carroñeras: esa hilera de pequeñas muertes, esa dureza tras lo blando; ¿acaso no es enorme el descuido?; de repente tengo deseos de decirle: Alejandra, estás *enseñando tus huesos*, oculta tus huesos, Alejandra, una mujer tan respetable como tú, una señora de rubor fácil, tan educada y limpia, con tu colección de novela rosa y tu familia y tu religión, ¿qué haces con los huesos al aire?, ¿no estás viendo que incluso muerdes cosas con tus huesos?, ¡Alejandra, por favor, que son tus *huesos* hundidos en el cráneo oculto, los huesos que quedarán cuando te pudras, mujer: no los enseñes!; esto va más allá de lo inmoral, pienso: es una especie de exhumación prematura, cada sonrisa es la *profanación de una tumba*, porque desenterramos nuestros huesos incluso antes de morir; deberíamos ir con los labios cerrados y una cruz encima de la boca, hablar como viejos desdentados, educar a los niños para que no mostraran los dientes al comer: un error, un gravísimo error en la estructura social comparable a caminar con las clavículas despellejadas, tener los omoplatos desnudos, descubrir el extremo basto del húmero al flexionar el codo, mostrar las suturas del cráneo al saludar cortésmente a una señora, enseñar las rótulas al arrodillarnos en la misa o las palas del coxal durante un baile o la superficie cortante del sacro durante el acto sexual: y sin embargo, ella y yo, con nuestros horribles dientes, la prueba visible de la existencia de los cráneos: absurdo, murmuro, y ella: ¿decías algo?, pero hablando *entre dientes* debido a los ganchillos, como si lo hiciera a través de apretadas filas de lápidas blancas, un soplo de aire muerto por entre las piedras de un cementerio, o peor: la voz a través de la tumba, las palabras pronunciadas en la fosa: no, nada, respondo, y ella, intrigada, se me acerca y arrastra sus falanges por mis vértebras: te noto distante desde ayer, Héctor, ¿te ocurre algo?, ¿es el trabajo?, y juro que estuve a punto de decirle: te la pego con una antigua paciente desde hace varios años, todos los jueves a la misma hora, pero no te preocupes porque una increíble revelación me ha hecho dejarlo, ya nunca más regresaré con Galia, no merece la pena (y por qué no decirlo, pienso, por qué reprimir el deseo y no decir la verdad, por qué no descargar la conciencia y vaciarme del todo); sin embargo, en vez de esa explicación catártica, le dije que sí, que era el exceso de trabajo, y me mostré torpe, callándome la inmensa sabiduría que poseía mientras notaba cómo descendían sus falanges por el edificio engarzado de mi columna, y ella dijo: pero hace mucho tiempo que no me sonríes, y pensé: ¡te equivocas!, somos una sonrisa eterna, ¿no lo ves?: nuestros dientes alcanzan hasta los extremos de la mandíbula y no podemos dejar de sonreír: sonreímos cuando gritamos, cuando lloramos, al pelear, al matar, al morir, al soñar: sonreímos siempre, Alejandra, quise decirle, y la sonrisa es *muerte*, ¿no lo ves?, quise decirle, nuestras calaveras sonríen siempre, así que la mayor sinceridad consiste en apartar los labios, elevar las comisuras y sonreír con la piel intentando imitar lo mejor posible nuestra sonrisa interior en un gesto que indica que estamos conformes, que aceptamos nuestro final: porque al sonreír descubrimos nuestros dientes, «enseñamos la calavera un poco más», no hay otro gesto humano que nos desvele tanto; la sonrisa, quise decirle, traiciona nuestra muerte, la delata; cada sonrisa es una profecía que se cumple siempre, Alejandra, así que vamos a sonreír, separemos los labios, mostremos los dientes, sonriamos para revelar las calaveras en nuestras caras, hagamos salir el armazón frío y secreto, *draguemos* el rostro con nuestra sonrisa y extraigamos el cráneo de la profundidad de nuestros hijos, de ti y de mí, del abuelo, de los amigos, de los parientes y del cura; pero no le dije nada de eso y me disculpé con frases inacabadas y ella enfrentó mis ojos y me abrazó y sentí los crujidos, la fricción, costilla contra costilla, golpes de cráneos, y supuse que ella también los había sentido: no seamos tan duros, le dije, y ella respondió, abrazándome aún: no, tú no eres duro, Héctor, y yo le dije: ambos somos duros, y tenía razón, porque se notaba en los ruidos del abrazo, en el telón de fondo de nuestro amor: un sonido semejante al que se produciría al echarnos la suerte con los palillos del *I Ching* sobre una mesa de mármol, o jugando al ajedrez con fichas de marfil, un trajín de palitos recios como un pimpón de piedra, el entrechocar aparentemente dulce de nuestros esqueletos como agitar perchas vacías; me aparté de ella y terminé de vestirme: quizá soy dura contigo, repitió ella, yo también soy duro, dije, y pensé: y Ameli y Héctor Luis, y todos entre sí y cada uno consigo mismo, ¡qué duros y afilados y cortantes y fríos y blancos y sonoros!; ¿te vas ya?, me dijo, sí, le dije, porque no deseaba desayunar en casa, en realidad no deseaba desayunar nunca más, pero sobre todo, sobre todas las cosas, no deseaba cruzarme con los esqueletos de mis hijos recién levantados, así que casi eché a correr, abrí la puerta y salí a la calle con el abrigo bajo el brazo, a la madrugada fría y oscura; ya he dicho que tengo la consulta cerca, lo cual siempre ha sido una ventaja, aunque no lo era esa mañana: quería trasladarme a ella solo con mi voluntad, sin perder siquiera el tiempo que tardara en desearlo; caminaba observando con mis cuencas vacías las casas que se abren, las figuras blancas que emergen de ellas como fantasmas en medio de la oscuridad, las primeras tiendas de alimentos llenas de huesos y cadáveres limpios de seres y cosas; caminaba y observaba con mis órbitas negras, lleno de un extraño y perseverante horror: ¿qué hacer después de la revelación?, ¿dónde, en qué lugar encontraría el reposo necesario?; porque ahora necesitaba *envolverme*, ahora, más que nunca, era preciso hallar la *suavidad*; mientras caminaba hacia la consulta lo pensaba: todos tenemos ansias de suavidad: guantes de borrego, abrigos de lana, bufandas, zapatos cómodos; sin embargo, el mundo son aristas, y todo suena a nuestro alrededor con crujidos de metal; qué pocas cosas delicadas, cuánta aspereza, cuánta jaula de púas, qué amenaza constante de quebrarnos como juncos, de partirnos, qué mundo de esqueletos por dentro y por fuera, móviles o quietos, invasión blanca o negra de huesos pelados, qué cementerio: toda obra es una ruina, toda cosa recién creada tiene aires de destrucción, y nosotros avanzamos por entre cruces, mármol, inscripciones, rejas y ángeles de piedra como espectros, y la niebla de la madrugada nos traspasa, huesos que van y vienen, esqueletos que se acercan y caminan junto a mí y me adelantan, apresurados, aquel que limpia los huesos en ese tramo de la calle, ese otro que espera en la parada, envuelto en su impermeable, huesos blancos por encima de los cuellos, la muerte dentro como una enfermedad que aparece desde que somos concebidos, ¿no hay solución?; y sorprender entonces a un hombre, una figura, no como yo, no como los demás, que se detiene frente a mí y me habla: ¿tiene fuego?, dice, un individuo desaliñado de espesa melena y barba, rostro pequeño, casi escondido, chaqueta sucia y manos sucias que se tambalea de un lado a otro como si el mero hecho de estar de pie fuera un tremendo esfuerzo para él; le ofrezco fuego y se cubre con las manos para encender un cigarrillo medio consumido, entonces dice: gracias, y se aleja; me detengo para observarle: camina con cierta vacilación hasta llegar a la esquina, después se vuelve de cara a la pared, una figura sin rasgos, y distingo la creciente humedad oscura a sus pies, detenerme un instante para contemplarle, volverse él y alejarse con un encogimiento de hombros y una frase brutal; un borracho orinando, pienso, pero al mismo tiempo deduzco: se ha reconstruido, ha verificado su interior, ha exhumado cosas que le pertenecen y le llenan por dentro: líquidos que alguna vez formaron parte de él; eso es un proceso de *autoafirmación*, pienso: él es *algo* que yo no soy o que he dejado de ser, ha logrado obtener lo que yo pierdo poco a poco: integridad, quizá porque no tiene que callar, porque es libre para decir lo que le gusta y lo que no, pienso y golpeo con los huesos del pie el cadáver de una vieja lata en la acera, o porque ha aceptado la vida tal cual es, o quizá porque tiene hambre y sed, y necesidad de fumar, dormir y orinar en una esquina, quizá porque siente *necesidades* en su interior, dentro de esa intimidad de las costillas que en mí mismo forma un espacio negro: sus necesidades le *llenan*, y yo, satisfecho, camino vacío: eso pensé; era preciso, pues, *reformarse*, volver a la vida a partir de los huesos, resucitar, aunque es cierto que en algún sitio dentro de mí existían vestigios, cosas que se movían bajo las costillas o en el espacio entre éstas y el hueso púbico, pero era necesario comprobarlo; todo aturdido por el ansia, entré en uno de los bares que estaban abiertos a esas horas y me dirigí apresurado al cuarto de baño, respondiendo con un gesto al hombre que atendía la barra y que me dijo buenos días; ya en el urinario, muy nervioso, busqué mi pija semihundida, perdonando la frase, la extraje y me esforcé un instante: tras un cierto lapso, comprobé la aparición brusca del fino chorro amarillo y sentí una distensión lenta en mi pubis que califiqué como el hallazgo de la vejiga: al fin me sirves de algo, pensé mientras me sacudía la pilila, perdonando la bajeza; así, convertido en pura vejiga, salí a la calle de nuevo y respiré hondo: noté bolsas gemelas a ambos lados del esternón, sacos que se ampliaban con el aire frío de la mañana, y descubrí mis pulmones; en un estado de alborozo difícilmente descriptible me tomé el pulso y sentí, con la alegría de tocar el pecho de un pájaro recién nacido, el golpeteo suave de la arteria contra mi dedo, su pequeño pero nítido calor de hogar, y supe que guardaba sangre y que mi corazón había emergido; caminando hacia la consulta completé mi resurrección, la encarnación lenta de mi esqueleto; así pues, yo era pulmones y vejiga, yo era intestino, tripas, estómago, yo era músculos del pene, tendones, sangre, hígado, vesícula, bazo y páncreas, yo era glándulas y linfa, todo suave, todo lleno, ocupando intersticios como si vertieran sobre mí unas sobras de hombre: yo era, por fin, globos oculares líquidos, yo era lengua y labios, yo era el abrir lento de los párpados, la creación del paladar, la suave nariz horadada, la humedad limpia de la saliva, la lágrima tibia y el sudor de los poros; yo era sobre todo mi propio cerebro, las revueltas grises de los nervios, la masa de ideas invisibles, la voluntad, el deseo, el pensamiento; llegué a la consulta recién creado, aún sin piel pero ya formado y funcionando, atravesé el oscuro umbral con la placa dorada donde se leía «Héctor Galbo, odontólogo», preferí las escaleras y abrí la puerta con la delicadeza muscular de un relojero, con la exactitud de un ladrón o un pianista; Laura, mi secretaria, ya estaba esperándome, y el vestíbulo aparecía iluminado así como la marina enmarcada en la pared opuesta, y me dejé invadir por el olor a cedro de los muebles, la suavidad de la moqueta bajo los pies, y cuando mis globos oculares se movieron hacia Laura pude parpadear evidenciando mi perfección; entonces, la prueba de fuego: me incliné para saludarla con un beso y percibí la suavidad de mi mejilla, los delicados embriones de mis labios, y supe que por fin la piel había aparecido: cabello, pestañas, cejas, uñas, el florecer de mi bigote negro; besarla fue como besarme a mí mismo: buenos días, doctor Galbo, me dijo, noté las cosquillas de mi camisa sobre mi pecho velludo, muy velludo, buenos días, dije, buenos días, Laura, y percibí mi laringe en el foso oculto entre la cabeza y el pecho, sentí el aire atravesando sus infinitos tubos de órgano: buenos días, repetí despacio saludando a todo mi cuerpo reflejado en el espejo del vestíbulo, mi cuerpo con piel y sentimientos, mi cuerpo vestido, bajito, mi cabeza calva y mi rostro bigotudo: buenos días, doctor Galbo, hoy viene usted contento, dice Laura, sí, le dije, vengo aliviado, quise añadir, he orinado en un bar y he descubierto *por fin* que tengo vejiga, y a partir de ahí todo lo demás, pero en vez de decirle esto pregunté: ¿hay pacientes ya?, y ella: todavía no, y yo: ¿cuántos tengo citados?, y ella: cinco para la mañana, la primera es Francisca, ah sí, Francisca, dije, sí: sus prótesis darán un poco la lata, y me deleito: oh mi memoria perfecta, mis sentidos vivos, mis movimientos coordinados, sí, sí, Francisca, muy bien, y mi imaginación: porque de repente me vi avanzando hacia mi despacho con los músculos poderosos de un tigre, todo mi cuerpo a franjas negras, mis fauces abiertas, los bigotes vibrantes, los ojos de esmeralda, y mi sexo, por fin, mi sexo: porque Laura, con la mitad de años que yo, me parecía una presa fácil para mis instintos, una captura que podía intentarse, la gacela desnuda en la sabana; ya era yo del todo, incluso con mis pensamientos malignos, incluso con mi crueldad, por fin: avíseme cuando llegue, le dije, y entré en mi despacho, me quité el abrigo y la chaqueta, me vestí con la bata blanca, inmaculada, mi bata y mi reloj a prueba de agua y de golpes, y mi anillo de matrimonio, y los periódicos que Laura me compra y deposita en la mesa, y mi ordenador y mis libros, y mis cuadros anatómicos: secciones de la boca, dientes abiertos, mitades de cabezas, nervios, lenguas, ojos, mejor será no mirarlos, pienso, porque son hombres *incompletos*, yo ya estoy hecho, pienso, *envuelto* al fin de nuevo en mi funda limpia, recién estrenado; por fin pensar: saber que he regresado al origen, me he recobrado, he impedido mi disolución guardándome en un cuerpo recién hecho; no recuerdo cuánto tiempo estuve sentado frente al escritorio saboreando mi triunfo, pero sé que la segunda y más terrible revelación llegó después, con el primer paciente, y que a partir de entonces ya no he podido ser el mismo, peor aún, porque me he preguntado después si he sido yo mismo alguna vez, si mi integridad fue algo más que una simple ilusión: y fue cuando sonó el timbre de la puerta, el siguiente timbre, el nuevo timbre que me despertó de la última ensoñación (como el de casa de Galia, o el del despertador con sonido de trompeta de cobre, ahora el de la consulta, pensé, y no pude encontrarles relación alguna entre sí, salvo que parecían avisos repentinos, llamadas, notas eléctricas que presagiaban algo), y Laura anunció a la señora Francisca, una mujer mayor y adinerada, como Galia, como Alejandra, con las piernas flebíticas y el rostro rojizo bajo un peinado constante, que entró con lentitud en la consulta hablando de algo que no recuerdo porque me encontraba aún absorto en el éxito de mi creación: fue verla entrar y pensar que iría a casa de Galia cuando la consulta terminara y le diría que todo seguía igual, que era posible continuar, que nada nos estorbaba, y después llegaría a mi casa y le diría a Alejandra que la quería, que nunca más sería duro con ella ni con Ameli, eso me propuse, y saludé a la señora Francisca con una sonrisa amable, y la hice sentarse en el sillón articulado, la eché hacia atrás con los pedales, la enfrenté al brillo de los focos y le pedí que abriera la boca, porque eso es lo primero que le pido a mis pacientes incluso antes de oír sus quejas por completo: como estoy acostumbrado a que esta instrucción se realice a medias, me incliné sobre ella y abrí mi propia boca para demostrarle cómo la quería: así, abra bien la boca, le dije, ah, ah, ah, y es curioso lo cerca que siempre estamos de la inocencia momentos antes de que un nuevo horror nos alcance: incluso éste aparece al principio con disimulo, revelándose en un detalle, en un suceso que, de otra manera, apenas merecería recordarse, porque mientras Francisca, obediente, abría más la boca, descubrí el último de los horrores, la luz del rayo que nunca debería contemplar un ser humano, la degradación final, tan rápida, pavorosa e inevitable como cuando presioné el timbre de Galia, pero mucho peor porque no era lo oculto, lo que era, sino *lo que no era*, aquello que *falta*, no lo que se esconde sino lo que *no existe*: la nueva revelación me violó, perdonando la brutalidad, de tal manera que todos mis logros anteriores adoptaron de inmediato la apariencia de un sueño que no se recuerda sino a fragmentos, e incapaz de reaccionar, permanecí inmóvil, inclinado sobre la mujer, ambos con la boca abierta, ella con los ojos cerrados esperando sin duda la llegada de mis instrumentos; pero como no llegaban los abrió, me vio y advirtió en mi rostro el horror más puro que cabe imaginarse: qué pasa, doctor, me dijo, qué tengo, qué tengo, pero yo me sentía incapaz de responderle, incapaz incluso de continuar allí, fingiendo, así que retrocedí, me quité la bata con delirante torpeza, la arrojé al suelo, me puse la chaqueta y salí de la habitación, corrí hacia el vestíbulo sin hacer caso a las voces de la paciente y a las preguntas de Laura, abrí la puerta, bajé las escaleras frenéticamente y salí a la calle: no sabía adónde dirigirme, ni siquiera si tenía sentido dirigirme a algún sitio; contemplé a los transeúntes con muchísima más incredulidad de la que ellos mostraron al contemplarme a mí: ¿era posible que todos *ignoraran*?, ¿hasta ese punto nos ha embotado la existencia?; hubo un momento terrible en el que no supe cuál debería ser mi labor: si caer en soledad por el abismo o arrastrar como un profeta a las conciencias ciegas que me rodeaban; es cierto que toda gran verdad precisa ser expresada, pero la locura de mi actual situación consistía en que esta *verdad última* era inexpresable: quiero decir que esta verdad final no era *algo*, más bien era *nada*, así que no podía soñar con explicarla: quizá el silencio en el gélido vacío entre las estrellas hubiera sido una explicación adecuada, pero no un silencio *progresivo* sino repentino y abrupto: una brecha de espacio muerto, una bomba inversa que *absorbiera* las cosas hacia dentro, que nos introdujera a todos en un mundo sin lugares ni tiempo donde la nada cobrara alguna especial y terrible significación, quizá entonces, pensé, y corrí por la acera intuyendo que cada minuto desperdiciado era fatal: ¿le ocurre algo?, fue la pregunta que me hizo un individuo que aguardaba frente a un paso de peatones cuando me acerqué, y solo entonces fui consciente de que tenía ambas manos sobre la boca, como si tratara de contener un inmenso vómito; mi respuesta fue ininteligible, porque sacudí la cabeza diciendo que no, pero esperando que él entendiera que eso era lo que me *pasaba*: que *no*; si hubiera podido hablar, habría respondido: nada, y precisamente ahí radicaba lo que me ocurría: me ocurría *nada*, pero era imposible hacerle comprender que *nada* era infinitamente peor que todos los algos que nos ocurren diariamente; no pude hacer otra cosa sino alejarme de él con las manos aún sobre la boca, corriendo sin saber por dónde iba pero con la secreta esperanza de no ir a ninguna parte, de no llegar, de seguir corriendo para siempre, porque no podía presentarme en casa de aquel modo, no con aquel *fallo*, sería preciso hacer cualquier cosa para remediar esa *escisión*, quizá comenzar desde el principio, reunir de nuevo el hilo en el ovillo, a la inversa: pensar en el instante *anterior* a la revelación, notar la presencia para comprender ahora la *falta*; pero cómo describirlo: cómo decir que había conocido de repente *la boca* cuando la paciente abrió la suya y yo quise indicarle cómo tenía que hacerlo y abrí la mía; fue entonces: el tiempo se congeló a mi alrededor y quedé solo en medio de mi hallazgo, como un náufrago, paralizado por la revelación suprema, incapaz de comprender, al igual que con la anterior, por qué no lo había sabido hasta entonces: *la boca*, claro, ahí, aquí, abajo, bajo mi nariz, *en mi rostro, la boca*: de repente me había percatado de la *verdad*, tan simple e invisible debido a su propia evidencia: la boca *no es nada*, lo comprendí al pedirle a la paciente que la abriera y al abrir la mía: ¿qué he abierto?, pensé: la boca; pero entonces, si la boca abierta también es *la boca*, el resultado era una oscuridad, un agujero vacío, un abismo; quiero decir que, de repente, al ver la boca, al inclinarme para verla, *no la vi*, pero no la vi justamente porque era *eso*: el *no verla*; si hubiera visto *la boca* de la misma forma que veo mis dedos, por ejemplo, *no lo sería* o estaría cerrada; sin embargo, el horror consiste en que una boca abierta *también es una boca*: como llamarle «dedos» al *espacio vacío que hay entre ellos*; ¡pero eso no era todo!: si aquel defecto, aquella nada, *era*, ¿cómo podía evitar la llegada del vacío?, ¿cómo impedir que todo siguiera siendo lo que es en la *nada*?, ¿cómo pretender recobrar mi cuerpo si me *evacúo* por ese agujero negro y absurdo?; lo comprendí: ¡si todo se hubiera cerrado a mi alrededor!, ¡si las junturas hubieran encajado perfectamente, sin interrupciones, sin oquedades!, pero tenía que estar *la boca*, la boca abierta que también era *la boca*, y ahora ¿cómo permanecer incólume?, ¿cómo seguir inmutable, conservándome dentro, si allí estaba eso que *no era*, esa nada negra implantada en mí?; corrí, en efecto, a ciegas, no recuerdo durante cuánto tiempo, hasta que un nuevo acontecimiento pudo más que mi propia desesperación: en una esquina, recostado en un portal, distinguí a un hombre, el borracho de aquella madrugada, que parecía dormir o agonizar: un sombrero gris le cubría casi todo el rostro salvo la barba, y allí, insertado en lo más hondo del pelo, un agujero abierto, sin dientes, sin lengua, una cosa negra y circular como una cloaca o la pupila de un cíclope ciego que me mirara, aunque yo fuera «nadie», el vacío terrible, la nada; de repente se había apoderado de mí un horror supremo, un asco infinito, la conjunción final de todo lo repugnante, y me alejé desesperado cubriéndome con las manos aquel «salto», aquel «vacío» letal, atenazado por una sensación revulsiva, un pánico que era como cribar mis ideas con violencia hasta romperlas, la certeza de mi perdición, el

desprendimiento a trozos de mi voluntad frente a lo irreme-
diable: esa *boca abierta*, el error por el que todo entra y todo
sale, los secretos, la palabra, el vómito, la saliva, la vida, el
aliento final, porque me había envuelto en mi propio cuerpo
para hallar algo último que *no cierra*, ese terrible defecto tras
los labios del beso, tras el lenguaje cotidiano, tras los gestos de
comer y masticar, más allá de los dientes y la lengua, ese algo
que no es el paladar ni la faringe ni la descarga de las glándulas, ese vacío que me recorre hacia *dentro*, el túnel deshabita-
do del gusano, la nada, la negación, eso que ahora empezaba
a corroerme; porque si existía *la boca*, nada podía detener la
entrada del vacío; así que cerca de casa empecé a perderme,
a dividirme en secciones, a horadarme: primero fue la piel,
que apenas se presiente, que es casi solamente tacto, la piel que
cayó a la acera mientras corría, la piel con mi figura y mis rasgos que se me desprendió como la de un reptil mudando sus
escamas, porque el vacío se introducía bajo ella como un cuchillo de aire y la separaba; entonces los músculos y los tendones, en silencio: ¿qué protección pueden ofrecer frente a
los túneles de la nada?, ¿qué defensa procuran ante esa marea
de vacío, ese fallo que me alcanzaba como a través de un *sumidero*?, también ellos caen y se desatan como cordajes de barco en una tempestad; la calle en la que vivo recibió el tributo
de la lenta pero inexorable pérdida de mis vísceras: ese trago
infecto de nada, que no está pero *es*, provoca la caída de mi estómago y mis intestinos, mi hígado derretido y mi bazo, los
pulmones sueltos que se alejan por el aire como palomas grises, el corazón que ya no late, madura, se endurece y cae, gélido como el puño de un muerto, porque nada puede latir
frente a *la boca*, los nervios arrastrados por la acera como hilos
de un títere estropeado, los ojos como gotas de leche derramada, la suave materia de mi cerebro, la exactitud de mis sentidos, la excitante delicia del deseo, la provocación del hambre y el instinto, las sensaciones, los impulsos: todo cae y se
pierde, todo gotea incesante desde mi armazón, todo se va y

se desvanece calle abajo; entro en casa al fin, ya solo mi esqueleto muerto y limpio, y pienso: mis hijos están en el colegio, por fortuna; me dirijo al salón y allí encuentro a Alejandra, que me mira con pasmo; se halla sentada en su sofá tejiendo algo, y probablemente destejiéndolo también, creando y destruyendo en un vaivén de interminable dedicación; entonces me detengo frente a ella, aparto con lentitud las falanges blancas de mi oquedad y la descubro, por fin, en toda su horrible grandeza: la boca *abierta*, las mandíbulas separadas, el enorme vacío entre maxilares, la verdadera boca que *no es*, desprovista del engaño de las mucosas, ese espacio negro que nada contiene, y hablo, por fin, tras lo que me parecen siglos de silencio, y mis palabras, emergiendo de ese vacío, son también vacío y horadan: Alejandra, hablo, llevo años traicionándote con una mujer que conocí en la consulta, y ella: Héctor, qué dices, y yo: es guapa, pero no demasiado, cariñosa, pero no demasiado, inteligente, pero no demasiado: lo mejor que tiene es que me quiere y que intentó hacerme feliz, y que nunca me ha creado problemas salvo la necesidad de mentirte, de ocultártelo, una mujer con la que descubrí que puede haber una cierta felicidad cotidiana a la que nunca deberíamos renunciar, como hemos hecho tú y yo, ni siquiera a esa *cierta* felicidad cotidiana, una mujer, en fin, con la que he sabido que ya todo es igual, que incluso el pecado *termina* alguna vez, incluso la culpa, incluso lo prohibido, y ella: Héctor, Héctor, qué te pasa, dice, que ya basta de mentiras, respondo y me deshago de su lento abrazo y de sus lágrimas, y basta de silencio, porque era necesario hablar, pero no solo a ti, no, no solo a ti, y ella, gritando: ¿adónde vas?, pero su grito se me pierde con el mío propio, que ya solo oigo yo, y eso es lo terrible: porque mi garganta ha desaparecido y solo quedan las tenues vértebras y el deseo de ser escuchado; corro entonces a casa de Galia arrastrando apenas los jirones blancos de mis huesos por la acera, y ella misma abre la puerta y grita al verme: no, Galia, no podemos seguir juntos, dije entonces, no tengo nada más que hacer aquí, tú, viuda y solitaria, yo, casado y solitario, nada que hacer, Galia, no más consuelos, no más secretos, basta de felicidad y de cariño doméstico, porque llega un instante, Galia, en que todo termina, y lo peor de todo es que *tú no eres una solución*: ¿por qué?, me dijo: porque es necesario decir la verdad y revelar la mentira, repliqué, aunque nos quedemos vacíos, es necesario abrir las bocas, Galia, le dije, y volcarnos en hablar y hablar y destruirlo todo con las palabras, dije, porque si algo somos, Galia, es aliento, así que es necesario, por eso lo hago, dije, y me alejé de ella, que gritó: ¿adónde vas?, pero su grito se perdió dentro del mío, que ya era tan enorme como el silencio del cielo; y me alejé de todos, de una ciudad que no era mi ciudad, de una vida que no era mi vida, corrí ya casi llevado por el viento, las espinas delgadas de mi cuerpo flotando en el aire, corrí, volé hacia los bosques transportado por una ráfaga de brisa como el polvo o la basura, avancé por la hierba, entre los árboles, desgastándome con cada palabra: basta con eso, dije, no más hogar, no más vida, no más esfuerzo, dije, grité en silencio: ya basta de mundo y de existencia, ya basta de hacer y de procurar, soportar, callar y mirar buscando respuestas, no, no más luz sobre mis ojos, nunca otro día más, basta de desear y pretender, de conseguir y por último perder lo conseguido y enfermar y morir y terminar en nada, todo vacío, intrascendente, limitado y mediocre: basta, porque hay un error en nosotros, un hiato perenne, el sello de la nada, esta boca siempre abierta, este hueco hacia algo y desde algo, miradlo: está en vosotros, el sumidero, el vórtice; lo he soportado todo, incluso los años de silencio, los años iguales y el silencio, la muerte interior, el vacío interior, la falsa esperanza, la ausencia de deseos, pero no puedo soportar esta conexión: si tiene que existir esto, este hueco vacío y nulo, esta ausencia de mi carne y de mi cuerpo, si tiene que existir *la boca*, prefiero echarlo todo fuera, dejar que todo se vaya como un soplo puro, que lo oigan todos, que todos lo sepan, prefiero esto a la falsa seguridad de un

cuerpo muerto, eso dije, eso grité, y me vi por fin convertido en nada, la oquedad llenando todos mis huesos abiertos
como flautas mudas, desmenuzados como arena por fin, solo
esa ceniza última, apenas el rastro leve que el viento termina
por borrar, el vacío enorme de esa boca que tiene que decir
y revelar y descubrir y gritar y acusar y vaciarme hacia fuera
desde dentro y mezclarme con todo, esa boca abierta e infinita del silencio absoluto por la que hablo aunque nadie oiga.

Junio de 1995

ESTE LIBRO HA SIDO IMPRESO
EN LOS TALLERES DE
LIMPERGRAF. MOGODA, 29
BARBERÀ DEL VALLÈS (BARCELONA)

ÚLTIMOS TÍTULOS PUBLICADOS
EN LITERATURA MONDADORI